LE SECRET DE L'UNIVERS

TOME 1

L'HOMME
QUI MARCHAIT

Charbonneau, Bilodeau et Villeneuve

Éditeur : François Doucet
Révision linguistique : Roger Painchaud
Correction d'épreuves : Isabelle Veillette, Suzanne Turcotte
Montage de la couverture : Matthieu Fortin
Mise en page : Sébastien Michaud
Image de la couverture : Mylène Villeneuve
Illustrations : Mylène Villeneuve
ISBN 978-2-89565-759-0
Première impression : 2008
Dépôt légal : 2008
Bibliothèque et Archives nationales du Québec
Bibliothèque Nationale du Canada

Éditions AdA Inc.
1385, boul. Lionel-Boulet
Varennes, Québec, Canada, J3X 1P7
Téléphone : 450-929-0296
Télécopieur : 450-929-0220
www.ada-inc.com
info@ada-inc.com

Diffusion
Canada :   Éditions AdA Inc.
France :   D.G. Diffusion
                ZI de Bogues
                31750 Escalquens — France
                Téléphone : 05.61.00.09.99
Suisse :   Transat — 23.42.77.40
Belgique :   D.G. Diffusion — 05.61.00.09.99

Imprimé au Canada

Participation de la SODEC.   SODEC
Nous reconnaissons l'aide financière du gouvernement du Canada par l'entremise du Pro-
gramme d'aide au développement de l'industrie de l'édition (PADIÉ) pour nos activités d'é-
dition.
Gouvernement du Québec - Programme de crédit d'impôt pour l'édition de livres - Gestion
SODEC.

**Catalogage avant publication de Bibliothèque et Archives nationales du Québec et
Bibliothèque et Archives Canada**

Charbonneau, Martin, 1972-

    Le secret de l'univers

    (Xhoromag)
    L'ouvrage complet comprendra 9 v.
    Sommaire: t. 1. L'homme qui marchait -- t. 2. Les êtres aux yeux bleus.
    Pour les jeunes de 10 ans et plus.

    ISBN 978-2-89565-759-0 (v. 1)
    ISBN 978-2-89565-760-6 (v. 2)

    1. Livres dont vous êtes le héros. I. Bilodeau, Stéphan, 1967-   . II. Villeneuve,
Mylène. III. Titre. IV. Titre: L'homme qui marchait. V. Titre: Les êtres aux yeux bleus.

PS8605.H366S42 2008   jC843'.6   C2008-940853-5
PS9605.H366S42 2008

Le Spectre de Valleyburg

Il était apparu pour la première fois voilà des centaines d'années. Personne ne se souvenait de la date exacte. En fait, elle n'avait plus la moindre importance.

Il venait d'ailleurs. D'où, on ne savait point, mais définitivement d'un autre monde. Il avait l'apparence d'un fantôme luminescent : un homme nimbé d'une pâleur blanche irréelle, qui marchait sans jamais s'arrêter, sans regarder autour de lui. En cette nuit oubliée, il avait traversé le village, puis il était disparu. Ils avaient été des dizaines à l'apercevoir, mais en ces jours de superstition, on préférait ne pas discuter de telles choses. En conséquence, on l'avait vite relégué de force à l'oubli.

Quelques années plus tard, le fantôme énigmatique n'était plus qu'une légende, une histoire fictive qui venait s'ajouter aux centaines d'autres qui couraient les campagnes.

Jusqu'au jour où l'homme était revenu.

Une fois de plus, alors que le village s'endormait, le spectre avait longé la rue principale. Les gens qui l'avaient aperçu s'étaient vite enfermés à double tour. Tranquillement, dans un silence irréel, le fantôme avait traversé le village, jusqu'à disparaître dans la forêt environnante.

Au lever du jour, on n'avait découvert aucune trace de son passage.

Avec le temps, on se rendit compte que sa marche demeurait immuable, qu'il répétait pas pour pas les mêmes actions que lors de ses précédentes apparitions. Il venait à tous les cinq ans, jour pour jour, le 4 septembre, à onze heures dix-sept, quarante-trois minutes avant minuit. Personne ne savait qui il était. Personne ne savait d'où il venait. Personne ne savait où il allait. Mais on lui avait donné un nom.

Il était l'Homme qui Marchait.

φ

Valleyburg n'avait guère changé au fil des années. Isolé au cœur d'une vallée profonde et verdoyante, de laquelle il tirait d'ailleurs son nom, le village comptait environ cinq cents habitants, plus ou moins quelques voyageurs en quête de solitude. En fait, on avait tout pour être heureux à Valleyburg. La seule ombre au tableau était le mystère effrayant de l'Homme qui Marchait.

Au cours des siècles, le spectre de lumière n'avait jamais manqué un rendez-vous. À tous les cinq ans, le 4 septembre, à onze heures dix-sept, il venait. De nombreuses hypothèses avaient été émises, dont la plus commune était celle d'un mauvais plaisant s'amusant à semer la terreur à Valleyburg. Évidemment, puisque les apparitions de l'Homme qui Marchait remontaient déjà à plusieurs siècles, il ne pouvait en être ainsi, en admettant une idée raisonnable de la longévité humaine.

Quelqu'un proposa un jour de tuer le spectre maudit lors de sa prochaine apparition. Après maintes discussions, l'idée fut abandonnée. En effet, personne ne savait de quoi l'être était capable. Par ailleurs, plusieurs lui attribuaient une origine infernale, et on ne tue pas un démon.

L'être sinistre était donc apparu, cette nuit-là encore, avant de retourner dans l'oubli pour les cinq prochaines années.

En l'an 1769, la journée du 4 septembre fut mise à profit pour ériger une barricade au milieu de la rue principale. Pour bien faire, on pendit des crucifix, de l'ail et d'autres talismans partout dans le village.

Jamais l'Homme qui Marchait n'avait-il dévié de sa trajectoire préfixée, ce qui lui prêtait un caractère plus surnaturel encore. Cette fois-là, on saurait enfin.

L'entité traversa le village et la barricade sans être incommodée. Le lendemain, on s'aperçut que la barrière était parfaitement intacte, mais puisque personne n'avait osé épier la créature — dont le caractère surnaturel n'était plus à démontrer — personne ne savait si le spectre avait traversé ou contourné la barricade.

Les choses en restèrent là pour cinq ans additionnels.

Quel était le secret de l'Homme qui Marchait ? À quoi correspondaient ses apparitions ? Le saurait-on jamais ? À Valleyburg, on était en droit de se poser ces questions. En plus de cinq cents ans, personne n'avait même acquis un indice.

Puis vint le temps des phénomènes étranges.

Cinq ans plus tard, quand l'Homme qui Marchait refit son apparition, des événements mystérieux eurent lieu, que personne n'avait jamais remarqués auparavant. Toute la nuit durant, on entendit des cris étouffés par la distance, mais néanmoins reconnaissables : des hurlements de loups. Cinq ans après, la première victime fut découverte : l'homme, un voyageur de passage, avait été tué par une créature terrifiante dont les griffes avaient laissé des marques profondes de deux centimètres dans sa chair.

À partir de cette date, personne ne sortit plus jamais le soir du 4 septembre.

Le temps passa. Et la terreur s'installa.

φ

Jamie avait quatre ans lorsqu'il vit passer pour la première fois l'Homme qui Marchait. C'était en 1819. Malgré son bas âge, il ne fut guère impressionné par la créature, ni par les rumeurs terribles qui circulaient à son sujet. Sans doute ne comprenait-il pas que l'être représentait un danger grave. Pourtant, lorsque l'enfant eut neuf ans, c'est-à-dire, lorsque l'Homme qui Marchait fit une nouvelle apparition, une partie du mystère lui fut dévoilée, sans doute uniquement par hasard.

En penchant la tête par la fenêtre de sa chambre, située à l'étage, il avait vu l'homme phosphorescent s'enfoncer dans la forêt au-delà de Valleyburg, pour ensuite disparaître entre les arbres. Jamie avait suivi des yeux la trajectoire imaginaire du spectre. Ainsi, il avait aperçu une faible luminescence, qui émanait d'une montagne située juste au-delà des deux monts qui encadraient Valleyburg. Plus précisément, la phosphorescence provenait du sommet de la montagne.

Le petit Jamie avait immédiatement compris.

C'était là que se rendait l'Homme qui Marchait !

Il avait couru raconter sa découverte à ses parents, mais n'avait réussi qu'à se faire réprimander. À cette heure tardive, il devait dormir, non inventer des histoires farfelues pour se faire remarquer. S'il existait un sommet phosphorescent, quelqu'un l'aurait remarqué bien avant un petit garçon.

Après l'avoir privé de dessert pour le lendemain, les parents de Jamie lui avaient ordonné de retourner se coucher. Ainsi donc, ironiquement, avait disparu le seul indice qu'on eût jamais recueilli relativement aux apparitions de l'Homme qui Marchait.

Les années avaient passé. Avec elles, Jamie avait appris certaines choses qu'il ignorait encore concernant le mystérieux promeneur de la nuit. Par exemple, durant la nuit du 4 au 5 septembre, en plus de l'être lumineux, diverses créatures faisaient leur apparition. D'ailleurs, en 1814, l'année avant la naissance de Jamie, un voyageur qui avait refusé de croire au danger possible avait été retrouvé mort, littéralement déchiqueté par des griffes et des crocs qui avaient dû être énormes. Pourtant, malgré une grande battue organisée le lendemain, on n'avait jamais retrouvé trace des créatures responsables.

Elles n'avaient existé que le temps d'une nuit.

Il y avait aussi ceux qui prétendaient que durant cette nuit, c'était un autre univers qui s'imposait au nôtre : un monde de maléfices où les créatures de l'Enfer régnaient en maîtres et cherchaient à envahir le monde des vivants. Bien entendu, ces théories étaient traitées avec le ridicule qu'elles méritaient, mais les faits n'en demeuraient pas moins inexplicables. Au cours des siècles, les rumeurs entourant l'être de lumière s'étaient tant accumulées qu'elles tissaient maintenant un filet de superstition inextricable.

Sans doute aurait-il fallu attendre long-temps pour venir à bout du marcheur fantomatique si Jamie et ses amis n'avaient pas décidé d'agir.

Jamie avait alors onze ans, et ses trois copains Nicolas, Michel et Christian avaient dix, onze et douze ans respectivement. En secret, les quatre enfants avaient mis au point un plan idéal pour jeter la lumière sur le mystère ténébreux de l'Homme qui Marchait. Dans trois ans, date de sa prochaine visite au monde des vivants, ils le suivraient en cachette jusqu'au sommet lumineux où il se rendait sûrement, et là, ils apprendraient son secret. Tout cela en dépit des créatures dangereuses qui, cette nuit-là, erraient dans les campagnes afin de boire le sang des hommes.

Puisque leurs parents, s'ils l'avaient appris, les auraient probablement enfermés dans leurs chambres au cours de la nuit en question, les quatre enfants avaient décidé de garder leur projet sous scellés. En trois ans, ils auraient sûrement le temps de le mettre au point, ou plus vraisemblable-ment, de l'oublier.

Pourtant, avec le temps, leur détermi-nation n'avait fait que croître.

Trois longues années avaient passé. Trois ans au terme desquels le mystérieux fantôme devait réapparaître et traverser à nouveau le village.

Dans le plus grand secret, le 4 septembre, les quatre jeunes adolescents se réunirent pour élaborer les derniers détails de leur grande filature. Ils paraissaient moins sûrs d'eux que trois ans auparavant, car malgré toute leur bonne volonté, la peur superstitieuse de l'inconnu s'infiltrait en eux. Seul Jamie refusait catégoriquement d'abandonner.

Il avait découvert l'existence de la montagne luminescente. Ce soir, il était déterminé à suivre l'Homme qui Marchait, coûte que coûte.

Ainsi, le soir venu, à onze heures seize, alors que leurs parents les croyaient endormis dans leurs lits douillets, les quatre garçons étaient tapis dans les bois, guettant le passage de l'être phosphorescent. De temps à autre, des hurlements sinistres éclataient dans le lointain, preuves concrètes de l'existence des créatures dont ils avaient tant entendu parler.

À ce moment, une vague luminosité se précisa, et l'Homme qui Marchait parut devant eux.

Bien que les garçons fussent dissimulés de leur mieux, un être d'origine infernale n'aurait pas manqué de déceler leur présence. Le spectre de Valleyburg, lui, n'avait même pas tourné la tête. Pourtant, pouvait-on être certain que la présence des enfants était passée inaperçue ?

— On s'en va, Jamie ! souffla Nicolas, le plus jeune de ses amis.

Le garçon était blême de frayeur. Christian et Michel paraissaient aussi nerveux que lui. De son côté, le spectre de Valleyburg continuait sa marche imperturbable.

Rassemblant tout son courage, Jamie se leva et s'engagea sur la route de terre à la suite de l'être mystérieux. Pour se rassurer, il se disait qu'il ne s'était pas préparé à cette filature depuis trois ans pour abandonner maintenant. S'il réussissait, au jour levant, il aurait la meilleure nouvelle de l'histoire de Valleyburg à annoncer à ses habitants.

Nicolas, Michel et Christian suivirent Jamie en hésitant. Bientôt, ils se retrouvèrent tous les quatre en pleine forêt, sur l'unique route desservant Valleyburg, entourés d'ombres et de terreurs.

Pour Jamie, cette filature avait un but. S'il la menait à bien, s'il découvrait quelque chose, il serait accueilli en héros par tout le village. En même temps, la peur du 4 septembre n'aurait plus raison d'être. Un garçon de 14 ans, réussir là où même un adulte n'aurait pas osé s'aventurer !

S'il avait pu concevoir les périls véritables de la Nuit Temporelle, peut-être aurait-il reculé. Peut-être serait-il rentré chez lui.

Mais il avait justement 14 ans. Et à cet âge-là, rien ne peut nous arriver.

Alors que les lumières du village s'estompaient dans la distance, d'autres lueurs prenaient leur place : des lucioles rouges, se mouvant deux par deux dans le bois, au nombre de huit. Loin devant, la vague phosphorescence émise par l'Homme qui Marchait guidait les quatre enfants dans une filature qui allait connaître, pour l'un des quatre, une conclusion inimaginable.

φ

En voilà assez. Nous vous confions la suite de cette aventure. *Vous* allez poursuivre cette filature en incarnant le jeune Jamie.

Afin de mener à bien la mission que vous vous êtes assignée — suivre « l'Homme qui Marche » — vous allez devoir vous familiariser avec les règles de l'aventure, qui figurent aux pages suivantes. Lorsque vous reprendrez son cours au paragraphe **1**, ne vous rendez plus qu'aux paragraphes qui vous seront indiqués, en fonction des choix que vous ferez.

Car dès maintenant, vous êtes Jamie, 14 ans et demi — et c'est vous qui allez devoir percer à jour le secret du spectre de Valleyburg !

LE SECRET DE L'UNIVERS • 1
L'HOMME QUI MARCHAIT

Le secret de l'univers

Règlements du jeu d'aventure

Le secret de l'univers est la première série d'aventures dont VOUS êtes le héros dans l'univers de Xhoromag. Vous jouez le rôle de Jamie, un garçon de la Terre âgé de 14 ans et demi, qui entame la filature d'un spectre mystérieux sans savoir quelles aventures extraordinaires l'attendent.

Pour vivre ces aventures, vous aurez besoin de trois accessoires importants : la Carte du Destin, la Table des Points de Dommage et la Feuille d'Aventure. La Carte du Destin est une alternative aux dés traditionnels. La Table des Points de Dommage est utilisée pour livrer les combats. Enfin, la Feuille d'Aventure sert à noter toute l'information nécessaire au bon déroulement de votre quête. Un exemplaire de chacun est inclus à la fin de ce volume.

Habileté et Endurance

Pour jouer cette aventure, vous aurez besoin de tenir compte de deux valeurs numériques importantes. Elles définissent vos capacités et vous permettront de surmonter les périls sur votre route.

Votre *Habileté* représente votre agilité et votre souplesse, mais aussi votre capacité à manier une arme. Quand vous serez dans l'obligation de combattre un ennemi, vous mesurerez votre Habileté à la sienne pour déterminer l'issue de l'affrontement. Vous disposez initialement de 15 points d'Habileté Naturelle. Quoi qu'il arrive, votre Habileté ne doit jamais dépasser 20 points dans la première aventure, *L'Homme qui Marchait*, ni dépasser 50 points dans le reste de la série.

Votre *Endurance* représente votre constitution physique et votre résistance aux épreuves. Elle détermine ainsi vos chances de survie. Votre Endurance diminuera lorsque vous serez blessé, fatigué, affamé ou empoisonné. *Si elle tombe à zéro dans le déroulement de l'aventure, vous aurez trouvé la mort*. Si cela se produit, il faudra que vous recommenciez l'aventure, préférablement en faisant des choix différents qui vous éviteront ce sort tragique. Vous disposez initialement de 60 points d'Endurance.

Si vous le souhaitez, vous pouvez ajuster vos valeurs initiales en échangeant 1 point d'Habileté contre 10 points d'Endurance (dans un sens ou dans l'autre, une ou plusieurs fois). Par exemple, vous pouvez commencer avec 14 points d'Habileté et 70 points d'Endurance. Sachez cependant que votre total initial d'Endurance représentera votre total maximal d'Endurance une fois que l'aventure sera commencée. Vous ne pourrez jamais le dépasser !

Habileté de Combat

L'**Habileté de Combat** représente votre force dans les affrontements. Elle se calcule à partir de l'Habileté Naturelle en ajoutant les points bonus de l'arme que vous maniez. Au début de cette série, vous ne possédez qu'un bâton, ramassé dans le sous-bois. Il ajoute 1 point à votre Habileté Naturelle quand vous le maniez dans un combat. Inscrivez donc +1 dans la case *Meilleure Arme* et faites le total pour connaître votre *Habileté de Combat*.

Dommages et Protection

En plus d'améliorer votre Habileté de Combat, une arme inflige un certain nombre de points de **Dommage**. Un point de Dommage est un point d'Endurance perdu. Celui qui subit « 5 points de Dommage » perd donc 5 points d'Endurance. La plupart des armes de vos ennemis infligeront un certain nombre de points de Dommage supplémentaires. Pour votre bâton, inscrivez 0 dans la case *Dommages* de votre Feuille d'Aventure.

En revanche, un point de **Protection** est conféré par une armure ou son équivalent. Un point de Protection annule un point de Dommage infligé par l'arme ennemie et réduit les pertes en Endurance. Si vos adversaires disposent de points de Protection, cela sera indiqué dans leurs totaux de combat. Initialement, vous ne disposez d'aucune forme de protection. Inscrivez donc 0 dans la case *Protection* de votre Feuille d'Aventure.

Facteurs d'Entraide

Si vous affrontez plusieurs ennemis, un **Facteur d'Entraide** peut apparaître parmi leurs totaux de combat. À ce moment, chaque ennemi ajoute à son total d'Habileté *tous les Facteurs d'Entraide de ses compagnons*, mais non les siens. Si l'un des membres du groupe est vaincu, son Entraide disparaît de l'Habileté de ses compagnons et réduit donc leurs chances de remporter la victoire.

La Carte du Destin

Vous trouverez en annexe une copie de la Carte du Destin. Il s'agit de l'instrument aléatoire traditionnel de Xhoromag. Elle se présente sous la forme d'un disque divisé en 192 cases, où tous les chiffres de 0 à 15 apparaissent douze fois. Pour utiliser la Carte du Destin, vous devez vous munir d'un objet pointu (un crayon fera l'affaire) et désigner un chiffre aléatoire sur le disque. *Vous n'avez pas le droit de vous donner le temps de viser.* La Carte du Destin a plusieurs propriétés de symétrie qui rendent les seize résultats possibles équiprobables. Ce sera grâce à elle que vous connaîtrez l'influence du hasard sur le déroulement de votre aventure.

Privilèges Zéro

Quelles que soient les circonstances qui demandent l'utilisation de la Carte du Destin, un zéro entraîne toujours les conséquences les plus favorables au héros. Il s'agit invariablement du meilleur nombre à piger. Cette propriété donne lieu à l'existence des **Privilèges Zéro**.

Vous avez droit à 2 Privilèges Zéro au début de chaque volume de la série. Vous pouvez les utiliser quand bon vous semble. À ce moment, au lieu de tirer un nombre de la Carte du Destin, agissez comme si vous aviez obtenu zéro. Vous devez obligatoirement employer un Privilège Zéro *avant* d'avoir pigé le chiffre demandé. Si vous tirez le nombre, vous devez subir les conséquences du Destin.

Si vous n'utilisez pas tous vos Privilèges Zéro dans une même aventure, vous pouvez les accumuler dans les volumes suivants, jusqu'à un maximum de 9 à la fois.

Équipement Transporté

Sur votre Feuille d'Aventure figure une Liste d'Équipement. Elle sert à maintenir l'inventaire de vos armes et de vos possessions. Les colonnes *Propriétés* et *Transport* servent à indiquer les effets et le mode d'emploi des objets trouvés, ainsi que la façon dont vous les transportez : à la main, dans vos poches, à votre ceinture ou d'une autre manière.

Vous ne pouvez transporter que deux objets à la main. Vous pouvez glisser jusqu'à dix objets de forme mince ou longitudinale à votre ceinture. Les autres objets peuvent être rangés dans vos poches, portés au cou, aux doigts, attachés à vos vêtements ou transportés d'une façon adaptée à la nature de l'article.

La capacité des poches de vos vêtements a été fixée à 100 **Unités de Volume**. Quand se présentera un objet pouvant être rangé dans vos poches, il sera suivi d'un volume [entre crochets]. Inscrivez le *Volume Total* de vos possessions dans la case réservée à cet effet. Ainsi, vous pourrez rapidement déterminer si vous avez de la place pour une nouvelle trouvaille ou si vous devez jeter un objet en contrepartie.

La case *Bourse* de votre Feuille d'Aventure sert à noter le contenu et la valeur de votre bourse, si vous en possédez une. Ce n'est pas le cas au début de la série.

Instructions pour les Combats

Au cours de votre aventure, vous devrez probablement affronter des ennemis hostiles. Si cela se produit, vous aurez besoin de la Table des Points de Dommage et de la Carte du Destin. Votre ennemi, comme vous, aura un total d'Habileté, un total d'Endurance, et une arme infligeant un certain nombre de points de Dommage. Il pourra aussi bénéficier de Protection. Exemple :

ADVERSAIRE IMAGINAIRE

Habileté 25 • Endurance 68 •
Dommages +4 • Protection –2

Si vous choisissez d'affronter l'ennemi ou si les circonstances ne vous laissent pas le choix, le combat se déroulera en plusieurs *Assauts* successifs. À chaque Assaut, l'un de vous sera blessé et perdra des points d'Endurance.

Celui qui a le total d'Habileté le plus élevé détient l'*Avantage Offensif*. Cet avantage se mesure en faisant la différence entre votre Habileté de Combat et celle de votre adversaire. Il sera négatif si votre ennemi est plus fort que vous.

Un Assaut :

1. Déterminez l'Avantage Offensif (A) en calculant la différence entre les Habiletés.
2. Tirez un nombre (N) de la Carte du Destin.
3. Consultez la *Table des Points de Dommage*. Au croisement de la colonne désignée par A et de la rangée désignée par N, vous trouverez les points d'Endurance perdus.
   - Si la case est blanche, vous avez blessé votre ennemi.
   - Si la case est grise, vous avez été blessé.
4. Additionnez les points de Dommage supplémentaires de l'arme employée.
5. Soustrayez les points de Protection du blessé, s'il en possède.
6. Réduisez l'Endurance du blessé du résultat final.

Règle Spéciale ~ Coup Critique :

Si vous tirez un 0 à l'étape 2, vous avez porté un coup critique à votre adversaire. Vous pouvez alors tirer un second nombre de la Carte du Destin (0 = 20) et l'additionner aux points de Dommage infligés. Si vous tirez un autre 0 (donc 20), vous pouvez tirer et additionner un troisième nombre, et ainsi de suite.

Le premier qui perd tous ses points d'Endurance perd le combat (et généralement la vie). Si cela vous arrive, votre aventure est terminée.

Combats à Plusieurs

Si vous devez vous battre contre plusieurs adversaires, et s'ils sont présentés avec des valeurs de combat distinctes, le texte vous demandera souvent de combattre « *en alternant les Assauts* ». Il faudra alors que vous livriez un Assaut contre chacun de vos ennemis à tour de rôle.

N'oubliez pas que dans un combat à plusieurs, chacun de vos adversaires ajoute à son Habileté de Combat tous les Facteurs d'Entraide de ses compagnons (mais non les siens). Notez aussi que l'Avantage Offensif peut être différent pour chaque ennemi.

Blessures Graves

Lorsqu'un coup inflige 12 points de Dommage ou plus à un combattant, celui-ci subit une *Blessure Grave* qui réduit son total d'Habileté de 1 point pour tout le reste de l'affrontement. Si vous survivez à un combat au cours duquel vous avez subi des Blessures Graves, votre Habileté se rétablira au rythme de 1 point par paragraphe subséquent, mais si un autre combat survient, il faudra que vous luttiez avec une Habileté temporairement affaiblie.

Dommages	12	24	36	48	60	72	84	96
Habileté	-1	-2	-3	-4	-5	-6	-7	Tué

La somme de 12 points de Dommage est appelée le *Seuil Critique*. Si un adversaire possède plus de 120 points d'Endurance, vous devez calculer son Seuil Critique en supprimant le chiffre des unités de son total initial d'Endurance (ex : 175 → 17), ensuite ajuster la table ci-dessus afin que les nombres dans la première rangée soient multiples de 17 (ou de tout résultat obtenu). Ainsi, il faut beaucoup plus de points de Dommage pour blesser gravement un ennemi robuste.

Faiblesse Grave

La **Faiblesse Grave** survient quand l'Endurance d'un combattant descend sous le Seuil Critique des Blessures Graves. À ce moment, son Habileté est réduite de 2 points additionnels. Cette pénalité s'ajoute aux Blessures Graves subies, le cas échéant. Si vous tombez en état de Faiblesse Grave, vous n'avez qu'à rétablir votre Endurance à 12 points ou plus pour annuler la pénalité — à condition d'être en mesure de le faire.

Dans un combat à plusieurs, un adversaire en Faiblesse Grave perd son Facteur d'Entraide. Cela réduit ainsi l'Habileté de Combat de ses compagnons.

φ

Exemple de Combat

Alors que vous suivez la trace de l'Homme qui Marche, vous êtes attaqué par un Chien des Ténèbres. Cette créature sinistre de la Nuit Temporelle se présente ainsi :

CHIEN DES TÉNÈBRES

Habileté 14 • Endurance 52 • Dommages +1

Admettons que vous ayez commencé avec une Habileté Naturelle de 15 points et une Endurance de 60 points, et que vous n'ayez pas encore été blessé. Avec votre bâton, la seule arme en votre possession, vous avez les valeurs de combat suivantes :

JAMIE

Habileté 16 • Endurance 60 • Dommages 0

L'Avantage Offensif vous revient : vous avez un Avantage de 2 points d'Habileté. À partir de ce moment, chaque Assaut sera livré en tirant un nombre de la Carte du Destin, puis en consultant la Table des Points de Dommage à la colonne « 2 » sous « Héros Avantagé ».

Assaut n° 1 :

Vous tirez un 5. À la rangée « 5 » de la colonne « 2 », la Table des Points de Dommage affiche une case blanche contenant le chiffre 6. Puisque la case est *blanche*, vous avez blessé le Chien des Ténèbres. Puisque vous n'avez pas de points de Dommage supplémentaires, et que le Chien n'a pas de points de Protection, il perd 6 points d'Endurance. *Il lui en reste 46.*

Assaut n° 2 :

Vous tirez un 13. Sur la rangée « 13 », vous trouvez une case grise contenant le chiffre 5. Puisque la case est *grise*, vous avez été blessé. Puisque le Chien des Ténèbres inflige 1 point de Dommage supplémentaire, vous perdez 5 + 1 = 6 points d'Endurance. *Il vous en reste 54.*

Assaut n° 3 :

Vous tirez un 0. Sur la rangée « 0 », vous trouvez une case blanche contenant le chiffre 14. Puisque vous avez tiré zéro, la règle spéciale vous permet d'ajouter un chiffre de la Carte du Destin aux dégâts infligés. Vous tirez 11. Le

Chien perd donc 14 + 11 = 25 points d'Endurance. Cela représente une Blessure Grave de 2 points d'Habileté. *Il lui reste donc 21 points d'Endurance et 12 points d'Habileté, et votre Avantage est désormais de 4 points.*

Assaut n° 4 :

Vous tirez un 3. Sur la rangée « 3 » de la colonne « 4 », vous trouvez une case blanche contenant le chiffre 11. Vous avez donc blessé le Chien à nouveau. Il perd 11 points d'Endurance. *Il lui en reste 10.* Puisque cela le met en état de Faiblesse Grave, son Habileté est pénalisée de 2 points additionnels. *Il lui reste 10 points d'Habileté et votre Avantage est de 6 points.*

Assaut n° 5 :

Vous tirez un 7. Sur la rangée « 7 » de la colonne « 6 », vous trouvez une case blanche contenant le chiffre 10. Le Chien des Ténèbres perd 10 points d'Endurance, ce qui vous donne la victoire. *Vous avez tué le monstre.*

Le texte vous apprendra la suite des événements. N'oubliez pas de réduire votre Endurance à 54 points avant de poursuivre l'aventure !

L'Homme qui Marchait

1

Vos trois amis et vous-même suivez déjà depuis cinq minutes la silhouette phosphorescente de l'être fantomatique. Vous prenez bien soin de ne pas être repérés par celui-ci, car vous ignorez encore de qui — ou de quoi — il s'agit. Vos amis semblent prêts à paniquer au moindre bruit, au moindre craquement de brindilles, tandis que vous ressentez une étrange anticipation. Cela vous rend perplexe, car normalement, il n'y a rien d'agréable dans une situation comme la vôtre. Vous avez l'impression de ne pas comprendre pleinement la situation.

Pourtant, vous avez hâte de mener la filature à bien.

Vous avez ramassé un solide bâton pointu que vous avez eu la chance de trouver dans le sous-bois. Puisque vous ne pouvez nier une certaine frayeur, vous gardez les mains serrées sur cette arme improvisée. Si les êtres de la nuit vous prennent pour cible, ce sera votre seule chance de vous défendre. En fait, si vous maniez ce bâton dans un véritable affrontement, il vous fera bénéficier de 1 point d'Habileté supplémentaire, sans toutefois infliger de points de Dommage additionnels à chaque coup porté. Ce n'est rien d'extraordinaire, mais la seule présence d'une arme concrète dans vos mains suffit à vous rassurer.

Vous n'avez pour éclairage que la lumière lunaire et la vague phosphorescence émise par l'être qui marche devant vous. Trébuchant à chaque minute sur une branche ou un rocher, vous et vos amis avancez prudemment sur la route de terre qui serpente sous le feuillage.

En plein jour, songez-vous pour calmer les battements rapides de votre cœur, *ce chemin n'a absolument rien d'inquiétant*.

À ce moment, dans le lointain, des cris lugubres éclatent, comme poussés par des loups assoiffés de sang. Vous savez toutefois, autant que quiconque, qu'il n'y a pas de loups dans cette région. La terreur semble mener la danse en cette nuit maudite du spectre qui marche. Qui sait ce qui se trame dans l'obscurité, tandis que vous marchez prudemment sous le feuillage sombre ?

Soudain, deux terribles lucioles rouges s'allument dans l'obscurité du sous-bois. Au même moment, un hurlement bestial éclate, tout près.

— Qu'est-ce que c'était ? s'écrie Nicolas, au comble de l'effroi.

— Là-bas ! criez-vous en retour.

Vous désignez du doigt les yeux rougeoyants que vous venez d'apercevoir. La créature invisible reste immobile, guettant Dieu sait quelle occasion. Cette bête doit avoir été suscitée d'un autre monde par l'apparition de l'Homme qui Marche, mais quelle est sa vraie nature ?

Aussi brusquement qu'ils étaient apparus, les yeux s'éteignent.

— Je… Je m'en retourne, décide Christian. J'ai trop peur. Qui vient ?

Nicolas et Michel sont prêts à le suivre, mais ce n'est pas votre cas. L'apparition a ébranlé votre courage et votre confiance, mais vous demeurez convaincu qu'en restant ensemble, vous viendrez à bout des horreurs de la nuit.

Si vous souhaitez tenter d'en convaincre vos trois amis, selon le principe que l'union fait la force, rendez-vous au **95**. Si vous préférez les laisser partir, non sans les avoir traités de poules mouillées, rendez-vous au **74**.

2

Vous tenez la perle jaune devant les yeux de l'immonde créature. Vous la faites tourner entre vos doigts, souhaitant que l'étrange reflet de la lune sur sa surface polie ait un effet sur l'abominable entité. Le monstre avance lentement vers vous ; il ne semble pas affecté ou inquiété par votre perle, ni par les rayons lunaires qu'elle reflète. Vous reculez doucement, tout en faisant un effort de volonté pour ne pas vous mettre à courir. Mais c'est peine perdue : l'être s'anime, et toutes griffes dehors, il se précipite sur vous avec un hurlement terrible.

De surprise, vous reculez vivement, et instinctivement, vous lancez la perle jaune au front de la créature.

Lorsque l'entité voit la petite bille chatoyante filer vers elle, elle marque un temps d'hésitation, ce qui permet à la perle de l'atteindre à la tête avant de rouler au sol. Se détournant momentanément de vous, la créature infernale referme ses crocs puissants sur la petite sphère jaune. Il se produit alors un crépitement furieux, et une vive lumière jaune envahit la gueule du monstre.

Puis cette lumière disparaît entièrement, et la créature, toujours bien vivante, se jette à nouveau sur vous.

Vous évitez de justesse l'assaut furieux de la bête hurlante, sans vraiment comprendre ce qui vient de se passer. Vous ne pourrez jamais l'apprendre, mais l'explication est tragiquement simple : grâce à votre perle jaune et aux énergies inconnues qu'elle renfermait, vous avez désormais affaire à un ennemi beaucoup plus puissant. Il est trop tard pour avoir des regrets ; vous devez maintenant défendre votre vie.

ÊTRE HURLANT

Habileté 26 • Endurance 65 •
Dommages +2

Si ce monstre vous blesse trois fois de suite, il parviendra à vous immobiliser sous son poids imposant. Il enfoncera alors ses crocs dans votre nuque et mettra un terme sanglant à votre vie. Cette aventure sera alors terminée. En revanche, si vous sortez vivant de ce combat désespéré, rendez-vous au **113**.

3

La porte s'ouvre lentement sous votre poussée. Vous venez de pénétrer dans une salle carrée qui a plusieurs fois la superficie totale de la maison, telle que celle-ci apparaissait de l'extérieur. Au fond de la pièce invraisemblable, vous apercevez une porte close sous laquelle filtre un rai de lumière. Dans le coin, un escalier monte jusqu'à un deuxième étage *invisible de l'extérieur*.

Quant à la pièce dans laquelle vous vous trouvez, elle est dénuée de tout meuble.

Vous demeurez longtemps immobile sur le seuil, secouant lentement la tête. Vous ne rêvez pas, alors quel est ce nouveau phénomène ? Une maison six fois plus large de l'intérieur que de l'extérieur, qui n'existait même pas avant le coucher du soleil ?

À vrai dire, les forces surnaturelles suscitées par l'Homme qui Marche vous dépassent de long en large.

En attendant de pouvoir les comprendre, et peut-être les vaincre, qu'allez-vous faire ?

Si vous décidez de traverser la grande salle afin d'ouvrir la porte dans le mur du fond, celle sous laquelle filtre le rai de lumière, rendez-vous au **77**. Si vous préférez monter les escaliers pour savoir ce que le deuxième étage peut vous apprendre, rendez-vous au **85**. Finalement, si vous décidez de ne pas perdre une seconde de plus en ces lieux mystérieux, vous pouvez reprendre sans plus tarder la poursuite de l'être luminescent. Sortez de la maison et reprenez votre course le long du sentier en vous rendant au **29**.

4

L'arme à la main, vous avancez posément vers la sphère immobile… qui se met à vibrer.

Est-ce une illusion causée par votre nervosité ou a-t-elle vraiment bougé ? Est-ce un autre cauchemar de la Nuit Temporelle ou cette sphère est-elle réellement douée de vie ?

Vous faites courageusement — témérairement ? — un pas de plus.

Ce n'était pas une illusion. Dès que vous faites ce pas fatidique, les événements s'enchaînent dans un tourbillon chaotique de son et de lumière. La boule lumineuse se soulève du sol et vole en éclats dans une terrible explosion, mais aucun fragment de verre n'est propulsé à travers la pièce. La sphère s'est volatilisée en énergie pure, et une forme sombre, prisonnière à l'intérieur, se déploie à la vitesse de la foudre.

Mû par une part égale d'instinct et de panique, vous frappez l'apparition de toutes vos forces. L'Épée du Soleil Blanc trace un sillon de lumière et heurte un oiseau d'apparence reptilienne, semblable à un petit ptérodactyle, qui se met à voler maladroitement dans la pièce. L'abominable créature a les ailes recouvertes d'un fin quadrillage lumineux. Bien que vous l'ignoriez, ce réseau de lignes agit à la façon d'un bouclier qui la protège des assauts extérieurs.

Cependant, vous maniez l'Épée du Soleil Blanc, une arme puissante capable de blesser de telles entités, et vous avez déjà réussi à lui infliger une plaie dorsale assez sérieuse.

Vous pouvez fuir à tout moment en sortant de la maison. Pour cela, il suffit que vous vous précipitiez vers la porte et que vous la claquiez derrière vous. Rendez-vous au **78** si vous êtes descendu à la cave, mais au **96** si vous êtes resté au rez-de-chaussée.

En revanche, si vous êtes déterminé à vous battre, saisissez l'Épée du Soleil Blanc et préparez-vous à subir le premier assaut de l'oiseau reptilien aux ailes d'énergie !

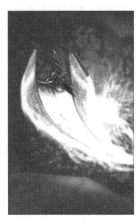

LES AILES DU TEMPS

Habileté 24 • Endurance 15 •
Dommages +6

Si vous êtes vainqueur, tirez un nombre de la Carte du Destin. S'il est compris entre 0 et 9, rendez-vous au **69**. S'il est compris entre 10 et 15, rendez-vous au **11**.

5

Le bouchon se retire aisément du goulot. Quand vous ouvrez la bouteille, la vapeur bleue se répand aussitôt dans la pièce. Elle se répand même très rapidement ! Que va-t-il se produire ? Pour le savoir, tirez un chiffre de la Carte du Destin.

Si vous obtenez	0	1	2	3	4	5	6	7	8	9	10	11	12	13	14	15
Rendez-vous au	**21**				**38**							**109**				

6

Vous vous engagez prudemment dans la caverne. Peu après, vous comprenez que vous parcourez réellement un tunnel qui s'enfonce dans les profondeurs de la falaise. La lumière qui provient du fond se fait progressivement plus précise, jusqu'à ce que vous puissiez enfin voir où vous mettez les pieds. Cela vous permet d'apercevoir un écriteau, fixé à la paroi au moyen d'étranges aiguilles de lumière pure. L'affiche porte une bien curieuse indication :

Là où le temps n'est plus

Comme si c'était vraiment nécessaire, une flèche désigne le fond du tunnel.

Intrigué, vous continuez à avancer, jusqu'à ce que vous ressentiez la curieuse sensation de traverser un rideau de papier. Vous marchez toujours à une allure normale, mais quelque chose s'est produit : le flot du temps a été altéré.

Vous comprenez alors la signification de l'écriteau. Au fond de ce tunnel, le temps semble s'être figé. Vous ignorez ce qui provoque un tel phénomène ; en fait, rien ne vous permet d'affirmer avec certitude que le temps s'est effectivement suspendu. C'est uniquement un instinct inexplicable qui vous pousse à croire que le « mur de papier » était directement lié à l'inscription sur le petit écriteau.

Vous êtes entré dans une autre dimension. À partir de cet instant, la grande horloge est en panne… et l'Homme qui Marche ne pourra plus vous distancer.

Ancré dans cette certitude, vous continuez à marcher le long du tunnel, en direction de la source de la lumière. Vous débouchez bientôt dans une vaste grotte — où vous êtes promptement assailli par une large créature poilue aux yeux lumineux !

L'animal monstrueux qui vient de vous agresser n'est pas un chien noir comme ceux qui ont tué vos amis, mais une sorte de gorille au poil gris dont la gueule est garnie de longs crocs jaunâtres. Une rangée d'épines court dans le dos de la bête, jusqu'à la racine de sa queue fourchue. D'ailleurs, cette queue redoutable est pourvue d'excroissances tranchantes pouvant se transformer en lames mortelles dans le contexte d'un affrontement.

La lumière qui guidait vos pas provient de partout à la fois, mais semble concentrée autour du corps de la créature, tout comme si la seule présence de la bête suffisait à illuminer cette immense caverne dans son entièreté.

Vous allez devoir vous battre contre cette furie animale.

Si vous souhaitez faire une tentative de fuite, rendez-vous au **59**. Si vous préférez affronter courageusement la créature, levez votre arme et entamez le combat !

Si vous luttez avec l'Épée du Soleil Blanc, ajoutez 2 points supplémentaires à votre Habileté de Combat ainsi qu'à vos points de Dommage, en raison de l'énergie

inconnue et éternelle que l'arme mystérieuse puise dans ce lieu intemporel.

CRÉATURE LUMINESCENTE DES PROFONDEURS

Habileté 25 • Endurance 80 •
Dommages +3

Si vous êtes finalement vainqueur, ayant
choisi de mener le combat à son terme au
lieu de vous enfuir, rendez-vous au **111**.

7

Afin de ne pas vous faire bêtement repérer,
vous vous accroupissez au bord de la
route, sans pour autant quitter l'Homme

qui Marche des yeux. Toutefois, celui-ci reste immobile, les mains posées sur son globe phosphorescent. Il ne tourne jamais la tête.

Le spectacle auquel vous assistez alors est plutôt surprenant, même si vous vous y attendiez quelque peu. À mesure que le temps passe, la luminosité du globe s'atténue, tandis que celle du spectre de Valleyburg s'intensifie au même rythme.

Est-ce là la raison pour laquelle l'Homme qui Marche apparaît ? Vient-il sur Terre afin de faire sienne l'énergie inconnue contenue dans ce globe ? Est-ce là son secret tant convoité ? Cet endroit est-il sa véritable destination ?

Autant de questions pour l'instant sans réponses.

Cinq minutes passent en silence. La sphère devient progressivement opaque, tandis que l'Homme qui Marche brille d'une clarté plus vive que jamais. Il détache alors ses mains du globe et reprend sa marche en direction des montagnes proches. Au-delà de la clairière, la route gravit les premières pentes ; la vallée verdoyante cède sa place aux premiers contreforts des montagnes boisées.

Vous tentez vainement de réprimer votre frustration. Peut-être auriez-vous pu explorer ces maisonnettes. Qui sait, peut-être auraient-elles pu vous apprendre quelque chose ?

À présent, il est trop tard pour le faire. Vous devez vous remettre en route également, sans quoi vous perdrez immanquablement la trace de l'Homme qui Marche.

Si vous souhaitez examiner le globe sur lequel le spectre de Valleyburg a posé les mains, rendez-vous au **50**. Si vous jugez cela inutile, voire dangereux, entamez sans plus tarder la prochaine étape de votre quête et rendez-vous au **39**.

8

L'homme vous regarde avec une pointe de méfiance.

— L'Homme qui Marche, dis-tu ? Je crois savoir de qui tu veux parler. L'Intemporel, n'est-ce pas ? Celui qui parcourt ton monde à chaque terizen ?

La confusion se peint sur vos traits.

— À chaque… quoi ?

— Teri… cinq ans. Tous les cinq ans.

— Oui, c'est lui. Il s'appelle l'Intemporel ? « Celui sans temps » ?

— C'est exact. Mais je ne crois pas que l'Intemporel ou « l'Homme qui Marche » si tu préfères, soit capable du meurtre de trois jeunes innocents, surtout si ces enfants l'avaient pris en filature. S'ils sont morts, les coupables sont ailleurs. En fait, le chien noir qui t'a attaqué est une créature d'un autre univers. Ces créatures sont ici dans un seul but : empêcher quiconque de découvrir le secret de l'Intemporel.

Voyant que vous gardez un silence incrédule, l'homme poursuit tranquillement.

— Concernant ta filature, tu es sur la mauvaise piste. L'Intemporel ne passe pas par ici. Il suit une route qui traverse, à un certain moment, le village dont tu proviens vraisemblablement. Puis il entre dans les montagnes. Une fois arrivé là-haut, il emprunte un sentier qui le mène directement au sommet d'une montagne, où s'ouvre la porte qui relie ton monde au sien — et au mien. Tant et aussi longtemps que dure sa marche, un autre univers *sur-existe* par-dessus le tien, ce qui entraîne les phénomènes insolites dont tu as probablement été témoin. Quand deux mondes si différents se coupent, en vérité, on peut s'attendre à tout.

Lorsque l'inconnu cesse de parler, vous levez enfin la voix.

— Vous semblez en connaître long sur son compte. Pourquoi vient-il à Valleyburg ?

L'homme secoue négligemment la tête.

— Il ne vient pas spécifiquement à Valleyburg. Il vient ici, dans ce monde, car c'est le seul monde où il lui soit possible de venir. Mais il en sait beaucoup plus que moi à ce sujet. Tout cela, si tu as le courage de le suivre jusqu'au bout, *il te le dira lui-même.*

Sans dissimuler votre ahurissement, vous écoutez l'homme mystérieux vous faire ces révélations d'une voix parfaitement calme et posée. Ainsi, l'Homme qui Marche vient d'un autre univers, et si vous menez votre filature à terme…

Sans vous donner le temps de réfléchir davantage ou même de formuler d'autres questions, votre énigmatique interlocuteur reprend la parole.

— Maintenant, si tu veux le rattraper, je peux t'aider. Je peux te transporter à l'endroit où il doit être à l'heure actuelle. L'Intemporel, vois-tu, s'arrête près d'une petite agglomération de quatre maisons pour puiser l'énergie contenue dans un globe de lumière dont il a commandé l'apparition. Les quatre maisons, comme celle-ci, n'appartiennent pas à ton monde. Elles proviennent de l'univers de l'Intemporel. De mon univers. Quant à moi — disons simplement que j'ai trouvé le moyen de l'accompagner dans cette dimension, à chaque fois qu'il y vient. Ainsi, je peux mettre les gens comme toi sur la bonne voie et aider sa cause à ma façon. Si je peux te donner un dernier conseil, c'est tout simplement celui-ci : *continue*. Suis-le jusqu'à sa destination. Je t'assure que tu ne le regretteras pas. Son secret est... disons... *extraordinaire...*

Rendez-vous au **64**.

9

Au moment où vous revenez en direction de l'escalier, le puits sombre au centre de la pièce s'agite à nouveau. Lorsque vous voyez de nouveaux tentacules émerger, vous vous mettez immédiatement à courir, mais les réactions de l'entité noire sont tout aussi rapides que les vôtres. Tels des fouets ténébreux, les serpentins noirs jaillissent dans votre direction et cherchent à s'agripper à vos membres. Pour sortir sain et sauf de cette salle, vous allez devoir vous frayer un chemin parmi eux. Les règles spéciales de l'affrontement précédent s'appliquent toujours. De même, vous devez compter le nombre d'Assauts perdus (en recommençant à zéro).

L'OBSCUR

Habileté 20 • Endurance 40

Si vous parvenez à triompher sans avoir perdu 4 Assauts, vous parvenez à vous engouffrer dans l'escalier. Vous descendez alors les innombrables degrés en courant, avant d'émerger à l'extérieur, soulagé d'avoir échappé au piège sinistre de la maison. Rendez-vous au **78**. Mais si vous subissez quatre fois ou plus la caresse des tentacules noirs, les conséquences sont beaucoup moins agréables. Rendez-vous au **57**.

10

Dans le bois, quelque chose est en train de se produire. Même si les événements précédents vous ont habitué aux maléfices de l'Homme qui Marche, vous frissonnez encore en entendant s'élever un rire mystérieux. Deux points de feu vert s'allument dans l'obscurité, et tandis que le rire machiavélique fait écho dans le sous-bois, deux jets de lumière ardente strient la nuit. Vous n'avez qu'un instant pour réagir. Utilisez la Carte du Destin. Si vous pigez :

Zéro
Les rayons incandescents vous manquent complètement et vont se perdre dans la forêt obscure. Vous venez d'éviter un bien mauvais sort.

De 1 à 7
Vous êtes touché à l'épaule par l'un des traits mortels et subissez des brûlures douloureuses qui vous coûtent 15 points

d'Endurance. Puisqu'il s'agit d'une Blessure Grave, réduisez temporairement de 1 point votre total d'Habileté.

De 8 à 14
Vous tentez de vous protéger avec votre arme, ce en quoi vous réussissez, mais non entièrement. Vous êtes brûlé aux avant-bras par les faisceaux de feu, ce qui vous occasionne une perte de 6 points d'Endurance. Votre arme a encaissé le gros de la décharge. Par chance, elle est demeurée intacte.

Quinze
Les rayons de feu vous atteignent en pleine tête et transpercent votre crâne, mettant un terme brutal et tragique à votre aventure — sans parler de votre vie.

Les yeux de feu vert s'éteignent, et le rire fait de même. Si vous avez survécu à l'attaque de la créature de l'ombre, vous vous hâtez de continuer votre route à la poursuite de l'Homme qui Marche avant d'être victime d'une autre agression semblable. Rendez-vous au **66**.

11

Lorsque vous portez le coup fatal au monstrueux oiseau d'énergie, il perd toute luminosité, s'éteint comme une chandelle dans le vent et plonge sur le sol. Le temps d'un rêve, vous croyez voir le quadrillage lumineux réapparaître sur les ailes de l'entité, qui essaie même de se remettre à voler. Elle bat des ailes trois fois dans votre direction, mais elle meurt avant de vous atteindre et s'écrase à vos pieds… dans une terrible explosion.

Cette fois encore, il n'y a pas le moindre fragment incandescent. L'entité n'est plus qu'une boule d'énergie. Mais l'énergie libérée par la désintégration de l'oiseau de cauchemar est fort différente de celle qui avait été émise par la destruction de la sphère qui le renfermait. Vous êtes instantanément englouti dans une trombe de feu blanc, et vous avez tout juste le temps de hurler de souffrance avant de mourir à votre tour, désintégré par le feu vengeur des Ailes du Temps.

C'est la fin tragique de votre aventure — et de votre vie.

12

Treize ! Il y avait treize portes, treize corridors à traverser, avant d'arriver au dernier. Et lorsque vous poussez le dernier battant — remarquant rapidement que le mur devant vous est dépourvu de toute nouvelle porte — vous contemplez deux magnifiques pierres précieuses qui flottent dans l'air, suspendues à deux mètres du sol, à trois mètres devant vos yeux incrédules.

Décidément, vous n'avez pas perdu votre temps. Ces deux gemmes doivent avoir autant de valeur que le village de Valleyburg tout entier.

À moins que…

Ces pierres précieuses *flottent* dans l'air, ce qui est tout de même inquiétant, étant donné tous les autres phénomènes maléfiques de la Nuit Temporelle. Vous avez là un diamant massif, de la taille d'un poing fermé, et un rubis aux mêmes proportions inouïes.

Sans aucun doute, le diamant est celui des deux joyaux qui a la plus grande valeur. Par conséquent, c'est de lui que vous vous méfiez le plus.

Qu'allez-vous faire ?

Si, malgré les risques que ce geste comporte, vous souhaitez vous emparer du diamant, rendez-vous au **34**. Si vous préférez prendre le rubis, rendez-vous au **88**. Si vous ne faites absolument pas confiance à ces deux joyaux, ce qui serait parfaitement compréhensible, vous pouvez franchir les treize portes en sens inverse et ressortir de la maison ; rendez-vous au **96**. Enfin, vous pouvez aussi vous diriger vers l'une des lointaines extrémités de ce couloir apparemment infini. Si vous souhaitez prendre ce risque, rendez-vous au **54**.

13

D'un dernier moulinet de bâton, vous fracassez le crâne du chien de la nuit, qui s'effondre dans la poussière. Vous vous apprêtez à porter secours à vos amis, mais tout à coup, vous remarquez que vous êtes seul et qu'un silence oppressant est descendu sur les lieux du combat.

Ou bien votre lutte vous a involontairement éloigné d'eux ou bien ils ont fui.

C'est cette dernière hypothèse qui est la bonne. Envahis par la terreur, poursuivis par les trois chiens survivants, vos copains ont pris la fuite en direction de Valleyburg, espérant encore survivre à la maléfique Nuit Temporelle.

Soudain, un long cri de terreur vous parvient.

Pris de panique, vous hurlez leurs noms. En retour, vous entendez les échos d'un affrontement désespéré, entrecoupé de cris de détresse et d'agonie. Des hurlements bestiaux montent dans les ténèbres. Un grand cri de souffrance déchire la nuit.

Puis le silence terrible reprend ses droits.

Un étau s'est refermé sur votre gorge. Votre cœur bat la chamade et vos mains tremblent sans arrêt, faisant vibrer votre bâton trempé de sang.

Pour vos trois amis, la filature est terminée.

Vous serrez les mâchoires. Pour vous, *elle ne fait que commencer*, et vous faites le serment de la mener à bien. Désormais, ce n'est plus la seule curiosité qui vous pousse de l'avant : c'est une colère froide, une détermination farouche. À partir de maintenant, vous ne suivez plus l'Homme qui Marche pour apprendre ses secrets, mais pour venger vos meilleurs amis.

L'idée vous effleure qu'avant long-temps, vous pourriez finir comme eux. Pourtant, contre toute attente, ce présage ne suffit pas à vous faire reculer. Vous ne saviez pas, avant cette nuit, que vous possédiez un tel courage.

Désormais, tous les chiens de la Terre ne vous arrêteront plus !

Là-bas, le spectre lumineux a disparu depuis longtemps. À toute allure, vous courez le long de la route pour le rattraper.

Rendez-vous au **52**.

14

Vous avancez avec grande prudence sur le petit sentier. Loin de la lueur constante émise par l'Homme qui Marche, vous sentez votre courage défaillir, jusqu'au point où vous songez momentanément à revenir sur la route. Mais le mystère de la silhouette sombre attise votre curiosité, et celle-ci, une fois de plus, réussit à triom-pher de votre frayeur.

Cette fois cependant, la victoire a été remportée de justesse.

À pas lents, vous marchez dans la forêt. Vous essayez de vous hâter davantage, de sorte que l'Homme qui Marche ne puisse vous semer complètement, mais vos jambes refusent d'avancer plus vite. Tous vos sens sont aux aguets. Où est passée la figure sombre que vous avez entr'aperçue voilà quelques minutes ?...

Tout à coup, les arbres se raréfient et vous découvrez une vaste clairière.

La lune, visible dans le ciel entre deux cumulus, éclaire faiblement une scène qui vous fait légèrement frissonner, sans que vous sachiez réellement pourquoi. Au centre de la clairière, des mains inconnues ont érigé une plate-forme sur pilotis, de forme carrée, à laquelle on peut accéder des quatre côtés au moyen d'escaliers larges et rudimentaires. Sur cet étrange échafaud, un bloc plus sombre est visible ; sur ce bloc, vous distinguez une lueur rouge, imprécise.

En plissant les yeux, vous arrivez à reconnaître le reflet d'un cristal ou d'un joyau, serti dans ce qui ressemble au pommeau d'une dague ou d'un sabre.

Il n'y a aucune trace de présence humaine aux environs.

Si vous voulez quitter la pénombre du sous-bois et monter sur la plate-forme, rendez-vous au **89**. Si vous préférez revenir sur vos pas immédiatement, rendez-vous au **102**.

15

Vous entrez dans la maison avec prudence, de telle sorte à ne pas tomber dans un piège. Vous remarquez alors un détail assez particulier : il y a un escalier qui monte à un deuxième étage. Et la maison, telle que vue de l'extérieur, n'avait qu'un étage.

Une autre aberration de ce monde de fous.

La pièce dans laquelle vous êtes entré n'a rien d'exceptionnel, hormis peut-être le fait qu'elle fait le double de la superficie totale de la maison, toujours en vous basant sur l'apparence extérieure de celle-ci. Puisqu'il n'y a rien à apprendre ici, vous décidez de rassembler votre courage — déjà sérieusement entamé — afin de monter à l'étage.

Vous croyez alors grimper pendant une éternité.

Ces escaliers, qui ne devraient même pas logiquement exister, sont tout aussi interminables que s'ils menaient au paradis. Et lorsque vous parvenez enfin à prendre pied au deuxième étage, vous n'y découvrez qu'une pièce carrée, tout à fait vide.

Une porte unique se découpe en face de vous.

De plus en plus dépassé par l'incohérence de l'univers que vous explorez, vous avancez précautionneusement dans la pièce. Hormis la porte, un seul détail insolite attire votre attention. Au centre de la salle, un trou totalement obscur est ouvert dans le plancher.

Qu'allez-vous faire ?

Si vous souhaitez aller ouvrir la porte, en contournant évidemment le trou, rendez-vous au **35**. Si vous voulez jeter un coup d'œil dans le trou lui-même, rendez-vous au **44**. Si vous préférez redescendre les escaliers interminables et sortir de la maison, rendez-vous au **96**.

16

L'Homme qui Marche recule lentement vers l'arche de lumière et s'arrête à quelques pas de celle-ci. Il vous regarde toujours dans les yeux, immobile devant la porte majestueuse.

Oui… *la porte.*

Car vous êtes certain d'avoir deviné juste. Cette courbe étincelante ne peut être qu'un portail d'énergie : une porte sur l'univers d'origine de l'entité inconnue.

À pas lents, sur vos gardes, vous vous approchez du spectre lumineux. Cet être a terrorisé Valleyburg pendant des siècles, et vous ne pouvez chasser de votre esprit la certitude qu'il est responsable de tous les maléfices de la Nuit Temporelle.

Plus particulièrement, l'Homme qui Marche est coupable de la mort de vos amis.

Tout à coup, l'être lumineux lève la main. Vous sursautez vivement. Pendant un bref instant de panique, vous croyez qu'il va vous pulvériser d'une boule de feu, mais il n'en fait rien. Au lieu de cela, il avance à son tour d'un pas.

C'est alors, à votre ahurissement total, qu'il prend la parole.

— *Je suis l'Intemporel*, dit-il. *Je viens de Xhoromag — et tu dois sauver mon monde.*

Rendez-vous au **120**.

17

Tout comme si vous n'existiez pas, l'ombre sinistre s'éloigne le long du sentier. Vous demeurez longtemps figé sur place, sans oser bouger, mais vous comprenez finalement que vous devez partir d'ici avant d'être menacé par une nouvelle figure noire.

Le cœur dans la gorge, vous prenez la fuite dans la forêt.

Vous n'osez plus suivre la piste à présent, mais vous savez que la route n'est guère éloignée. Même en fonçant aveuglément à travers le sous-bois, vous devriez la retrouver en quelques minutes, pour autant que les maléfices de la Nuit Temporelle vous laissent tranquille.

Lorsque vous émergez du bois et retrouvez le chemin rassurant, vous cessez enfin de courir. Vous avez subi des écorchures en fuyant à travers les branches, ce qui vous a coûté 2 points d'Endurance. Cependant, vous êtes trop heureux d'avoir échappé aux spectres lugubres pour vous en plaindre.

Ce qui vous préoccupe davantage, c'est que l'Homme qui Marche a disparu.

Faisant fi de la douleur et de la fatigue, vous vous mettez à courir à toute vitesse le long de la route de terre. Rendez-vous au **90**.

18

Fort heureusement, ce coffret n'était pas piégé. Vous ne subissez donc aucun sort fâcheux lorsque vous l'ouvrez. Ce que vous y trouvez, cependant, compense pour tous les risques imaginaires que vous avez courus en descendant dans la pièce souterraine. Voici le contenu intégral du coffret. Vous pouvez emporter tout ce que vous désirez, à condition de respecter les limites de transport d'équipement.

- Un cristal bleu pâle, taillé en forme de cube [15] ;
- Une fiole remplie d'eau [20] ;
- Un disque de plomb, d'une douzaine de centimètres de diamètre [25] ;
- Deux pilules rouges [2] ;
- Un poignard (+3H +2D) ;
- Une perle étrange, qui luit d'un éclat jaune [5] ;
- Deux émeraudes [2].

Après vous être approprié les objets qui vous intéressent, vous refermez le coffret.

Si vous possédez déjà quelques pilules rouges, vous en connaissez probablement le mode d'emploi. Celles que vous venez de trouver ont la même nature. Si vous ne savez pas à quoi elles servent, vous pouvez vous rendre au **99** pour en ingérer une et l'apprendre, mais mémorisez le numéro de ce paragraphe afin de pouvoir y revenir ensuite.

Une fois vos trouvailles rangées, vous entreprenez de remonter les escaliers interminables.

Après une longue et pénible ascension, qui endolorit vos mollets et vous affaiblit de 2 points d'Endurance, vous revenez dans la grande salle au premier étage. L'étrange sphère lumineuse n'a pas bougé de sa position.

Que désirez-vous faire maintenant, à condition d'en avoir les moyens ?

- Vous approcher du globe lumineux ? Rendez-vous au **36**.

- Tirer un rayon d'énergie sur la sphère ? Rendez-vous au **60**.

- Frapper la sphère avec l'Épée du Soleil Blanc ? Rendez-vous au **4**.

- Quitter cet endroit sans plus tarder ? Rendez-vous au **78**.

19

Un cri sinistre éclate dans la forêt. Vous entendez alors de nombreux craquements de branches, exactement comme si quelqu'un — ou quelque chose — s'était lancé à votre poursuite. Vous faites volte-face avec frayeur, l'arme au poing, et tout à coup, vous voyez surgir un homme aux yeux fous, vêtu d'habits déchiquetés, qui serre un long couteau dans son poing et vous saute immédiatement à la gorge.

Cet inconnu est animé d'une force diabolique. Vous avez toutes les peines du monde à contenir ses assauts sauvages. Manifestement, le dément est possédé par une puissance maléfique, une force incontrôlable qui le pousse à vouloir se vautrer dans votre sang. Pis encore, vous n'arrivez pas à le reconnaître et vous n'avez aucune idée d'où il vient.

Peut-être est-il issu du même univers maudit que l'Homme qui Marche.

L'homme fou vous attaque une nouvelle fois, la bave aux lèvres, le couteau pointé sur votre gorge. C'est l'énergie du désespoir qui vous permet d'éviter, cette fois encore, l'attaque du dément, mais vous avez déjà compris que vous êtes dans l'obligation d'entamer le combat.

LE POSSÉDÉ

Habileté 21 • Endurance 50 • Dommages +2

Si vous sortez vainqueur de ce combat, vous pouvez vous approprier le poignard. Dans un combat, il vous procurera 3 points d'Habileté additionnels et infligera 2 points de Dommage supplémentaires à chaque coup porté. Que vous le preniez ou non, rendez-vous au **110**.

20

Talonné par la créature infernale, vous poussez un cri d'effroi et faites désespérément volte-face. La bête monstrueuse court beaucoup plus vite que vous, et déjà, toutes griffes dehors, elle saute à votre gorge en poussant un long hurlement strident. Il n'est plus question, à présent, d'éviter le combat. Vous allez devoir vaincre la créature ou être dévoré vif. Toutefois, c'est le monstre qui a l'avantage. Pour les deux premiers Assauts, votre Habileté sera pénalisée de 4 points.

ÊTRE HURLANT

Habileté 24 • Endurance 48 •
Dommages +2

Si vous *perdez* les deux premiers Assauts ou si la créature, par la suite, parvient à vous blesser trois fois de suite, elle réussit à vous immobiliser sous sa masse imposante. Elle referme alors ses crocs sur votre gorge et met un terme ensanglanté à cette aventure. En revanche, si vous êtes encore en vie à l'issue de l'affrontement, rendez-vous au **113**.

21

L'air se met à grésiller lorsque vous libérez la vapeur bleue. Cette fumée qui se répand dans la pièce possède de puissantes propriétés fortifiantes. C'est littéralement une vapeur de vie, un autre prodige de l'univers de la nuit — mais un prodige bénéfique celui-là.

La vapeur bleutée envahit la salle à une vitesse alarmante. Bien entendu, vous ne pouvez éviter d'en inspirer une bonne quantité. Vous ressentez aussitôt une nouvelle puissance, une force prodigieuse qui se répand dans votre organisme et envahit chaque recoin de votre âme. Vous gagnez 2 points d'Habileté Naturelle et 24 points d'Endurance. Vous pouvez également augmenter de 4 points votre Total Maximum d'Endurance.

Ayant compris à temps quel profit vous pouvez tirer de cette découverte extraordinaire, vous rebouchez la bouteille de verre au plus vite. Ce faisant, vous réussissez à emprisonner une petite quantité de vapeur de vie. Le reste se mélange à l'air et se dissipe progressivement, jusqu'à ce qu'il n'en reste plus la moindre trace.

La quantité restante représente une dose de ce gaz fortifiant, qui aura sur vous un effet moins puissant que la double dose que vous venez de respirer, mais qui pourra tout de même vous revigorer considérablement.

Vous pouvez garder cette bouteille de Vapeur Bleue [30]. Notez sur votre Feuille d'Aventure que son contenu étonnant vous fera gagner 1 point d'Habileté Naturelle, 12 points d'Endurance et 2 points d'Endurance Maximale lorsque vous choisirez de l'inspirer.

Ces événements étranges vous font réfléchir à votre situation. Par la faute de l'Homme qui Marche, vous n'évoluez plus dans la paisible forêt qui entoure Valleyburg, mais dans un univers de sorcellerie, de prodiges mystérieux et de créatures monstrueuses. Vous commencez à donner raison à ceux, au village, qui prétendent qu'un autre univers remplace le nôtre durant la Nuit Temporelle.

En attendant d'élucider le mystère toujours aussi profond du spectre de Valleyburg, qu'allez-vous faire ? Si vous ne l'avez pas encore fait, vous pouvez ouvrir le coffret. Rendez-vous au **47**. Ou vous pouvez redescendre au premier étage.

Si tel est votre choix, vous revenez dans l'immense pièce dénudée qui couvre à elle seule la superficie de trois maisons comme celle-ci. Allez-vous ouvrir la porte sous laquelle filtre un rai de lumière ? Rendez-vous au **77**. Ou allez-vous quitter cette habitation et reprendre sans plus tarder la filature du spectre de la Nuit Temporelle ? Rendez-vous au **29**.

22

Vous ne l'auriez pas cru possible, mais le miracle s'est produit. Votre course effrénée et désespérée vous a mené au-delà de l'angle de la corniche, au point où la falaise est demeurée intacte. Derrière vous, l'avalanche a entraîné l'entablement tout entier dans le ravin, vous interdisant désormais tout retour en arrière.

Vous n'aviez pas l'intention de renoncer à votre filature. Toutefois, même si cette idée vous avait effleuré l'esprit, elle serait désormais irréalisable. Vous continuez donc à suivre l'Homme qui Marche, puisque c'est la seule alternative qui s'offre à vous.

Depuis un bout de temps, quelque chose vous tracasse.

Le spectre de Valleyburg a eu maintes fois l'occasion de remarquer votre présence sur ses talons. L'effondrement spectaculaire de la falaise n'était pas la moindre de ces occasions. Or, il continue sa marche comme si rien ne s'était produit.

Peut-être ne se soucie-t-il pas de votre présence insignifiante. Ou peut-être se fie-t-il aux horreurs de la Nuit Temporelle pour vous éliminer ?

Quoi qu'il en soit, vous n'abandonnerez pas. Avant le lever du jour, vous saurez à quoi vous en tenir en ce qui concerne l'Homme qui Marche !

Sous vos semelles, la corniche ne cesse de monter en pente douce. Sans le moindre doute, le but est maintenant proche. La nuit touche à sa fin ; conséquemment, le sommet phosphorescent ne doit plus être éloigné. Pourtant, vous n'êtes pas au bout de vos surprises, car vous venez d'apercevoir l'entrée d'une grotte dans la paroi de la falaise.

Quelque part au fond de cette grotte, une luminescence imprécise est visible.

Si vous souhaitez suspendre un instant la filature de l'Homme qui Marche afin d'explorer cette caverne inattendue, rendez-vous au **6**. Si elle ne vous inspire pas confiance, vous pouvez continuer la longue marche lugubre en vous rendant au **82**.

23

Là où vous aviez aperçu la lueur, un rire sinistre se fait entendre. Deux flammes vertes s'allument un bref instant dans les ténèbres. Puis le silence et l'obscurité reviennent, angoissants, oppressants. Quelque chose d'horrible se terre là, dans l'ombre, tout près.

Quelque chose qui va vous engloutir.

Pris de panique, vous vous mettez à courir droit devant vous, jusqu'à ce que vous soyez si près de l'Homme qui Marche que vous risquez de vous faire repérer à tout moment. Comprenant qu'il serait aussi dangereux d'être vu par l'homme phosphorescent que d'être atta-qué par la bête aux yeux de feu vert, vous vous laissez quelque peu distancer.

Fort heureusement, plus rien ne semble vouloir se produire. Cela vous permet de retrouver un peu de confiance et d'assurance.

Rendez-vous au **66**.

24

Vous tournez le dos au tueur et fuyez à toute allure. Malheureusement, l'homme en gris s'élance à votre poursuite. Vous parvenez à le tenir à distance jusqu'au moment où vous arrivez à la porte d'entrée, mais à l'instant où vous saisissez désespérément la poignée, l'assassin aux flèches de verre encoche l'une de celles-ci à son arc et vise posément le milieu de votre dos. Tirez un nombre de la Carte du Destin. Si votre Habileté Naturelle est supérieure ou égale à 16 points, retranchez 4 du chiffre pigé. Si vous obtenez :

1 ou moins
Vous parvenez à quitter la maison sain et sauf, claquant violemment la porte à l'instant où la flèche allait vous atteindre. Le trait se plante dans le bois et la pointe de verre éclate avec un bruit sec. Par chance, l'inconnu ne semble pas vouloir vous poursuivre à l'extérieur. Néanmoins, peut-être feriez-

vous mieux de ne plus traîner dans les parages. Rendez-vous au **96**.

De 2 à 10

Vous n'arrivez pas à éviter la flèche, qui vous entaille profondément l'épaule avant de se ficher dans le mur. Vous subissez un nombre de points de Dommage égal au résultat obtenu. Si votre Endurance n'est pas réduite à zéro, vous parvenez à quitter la maison sans y perdre la vie. Rendez-vous au **96**.

11 ou plus

La flèche vous perce le dos au moment où vous ouvrez la porte. Elle vous traverse le cœur et met une fin tragique et doulou-reuse à votre aventure, sans parler de votre vie. Demain, votre cadavre sera retrouvé parmi les arbres de la forêt, et les gens de Valleyburg se demanderont encore long-temps ce qui a bien pu vous arriver… car la flèche, la maison, et même la clairière auront disparu, retournées au néant et ayant emporté votre vie avec elles.

25

L'être luminescent semble vouloir se débarrasser de vous par tous les moyens.

Dès qu'il y parvient, il avance vers l'immense arche de lumière. Il la franchit… et à cet instant même, tout cesse d'exister. L'horizon s'illumine, et une boule de feu apparaît dans le ciel.

Le soleil s'est levé.

L'arche de lumière a disparu, ainsi que l'Homme qui Marche et ses maléfices. Le jour se lève sur Valleyburg. Pour vous, c'est une nuit d'horreur qui s'achève. Vous avez survécu à la Nuit Temporelle. Peu d'hommes, même adultes, auraient eu le courage de vous imiter.

Malheureusement, l'être luminescent n'est pas mort, et vous avez l'horrible sensation d'avoir accompli tout cela pour rien. Vous ne savez pas grand-chose de plus qu'avant. En somme, vous n'avez jamais élucidé l'énigme millénaire de l'Homme qui Marche.

Nicolas, Christian et Michel seront enterrés dans le petit cimetière qui jouxte Valleyburg. Vous serez indirectement tenu responsable de leurs morts, ce qui rendra votre vie malheureuse. Et dans cinq ans, vous comprendrez la véritable futilité de votre aventure.

Dans cinq ans, quand l'Homme qui Marche reviendra à Valleyburg, marchant en direction du sommet lumineux… et quand vous le verrez passer, le cœur gros, songeant aux trois garçons qui furent vos amis d'enfance, tout en rêvant à une énigme dont vous ne connaîtrez jamais la solution.

26

Fort heureusement, la créature fait craquer une brindille en bondissant sur vous. Cela vous donne l'occasion de vous retourner, mû par un réflexe fulgurant, et de la frapper en pleine figure — et en plein vol — avec votre bâton.

Vous reculez en vitesse devant l'horreur qui se révèle à vous.

Il s'agit d'un chien monstrueux, couleur de nuit, qui vous fixe de ses yeux flamboyants. Un frisson passe sur votre échine. À peine êtes-vous entré dans la forêt que la sarabande des cauchemars se déchaîne. Non seulement vos amis ont-ils été tués par des êtres inconnus, mais ce monstre paraît déterminé à achever la besogne.

Votre coup semble lui avoir disloqué la mâchoire, mais sa férocité n'a fait qu'augmenter. C'est un monstre affaibli que vous affrontez, mais vous devez néanmoins prendre garde, car le molosse ténébreux se jette sur vous de plus belle, les forces décuplées par la rage et la douleur. En raison de l'avantage que vous procure la gueule blessée du chien de l'enfer, vous pouvez ajouter 2 points à votre total d'Habileté pour toute la durée du combat.

CHIEN DES TÉNÈBRES

Habileté 10 • Endurance 52 •
Dommages 0

Si vous venez à bout de cette redoutable créature, la première victoire de la nuit de cauchemar vous revient. Rendez-vous au **117**.

27

À la hâte, vous revenez en direction de la porte. Vous avez parfois l'impression que la brume cherche à vous agripper, mais cette fois, peut-être s'agit-il uniquement de votre imagination.

C'est en courant que vous revenez à l'intérieur de la maison. Contre toute attente, la porte est demeurée sagement ouverte, sans chercher à vous emprisonner dans l'univers de brouillard froid que vous venez de visiter. Vous êtes sincèrement rassuré — jusqu'à ce que la présence de la créature noire au fond du puits vous revienne en mémoire.

Vous observez le trou avec inquiétude. Surgira-t-elle à nouveau ?

La réponse à cette question dépend, en fait, de la réponse à une autre question.

Avez-vous emporté le Disque de Jade ?

Si vous l'avez laissé derrière, rendez-vous au **9**.

Mais si vous l'avez emmené avec vous, plus rien ne vous empêchera de redescendre les escaliers et de quitter cette maison d'un autre temps.

Vous dévalez les degrés innombrables le plus rapidement possible, songeant à l'Homme qui Marche et à tout le temps qu'il a eu pour disparaître. Une fois revenu dans la pièce du bas, vous sortez rapidement à l'air libre, soulagé, malgré vous, d'avoir échappé aux périls terribles qui vous guettaient dans cette demeure.

Derrière vous, la maison a repris son apparence anodine. Elle n'a toujours qu'un étage… et vous êtes convaincu que si vous en faisiez le tour, vous ne verriez nulle part les haies de cèdres, ni l'allée mystérieuse remplie de brume.

Rendez-vous au **78**.

28

Désespérément, vous continuez à courir le long du sentier mystérieux. Ce sentier qui, comme tout le reste, ne doit exister que le temps d'une nuit — la maléfique Nuit Temporelle de l'Homme qui Marche.

Le susnommé a pris une avance relativement grande. Si grande, en fait, que vous commencez à craindre de ne jamais le rattraper — toujours en supposant qu'il ait emprunté cette direction, ce qui n'est pas du tout certain. Si vous vous êtes trompé de chemin, tout sera perdu. Vous aurez perdu sa trace et vous ne le reverrez que dans cinq ans.

Le sentier ne cesse de monter abruptement. Cela ne soulage en rien la douleur lancinante dans vos mollets, mais bientôt, vous êtes récompensé pour vos efforts. Là-bas, loin devant vous, l'être lumineux avance entre les arbres.

Vous avez réussi à rejoindre l'Homme qui Marche !

Déployant un effort suprême, vous le rattrapez et restez désormais à quelques dizaines de mètres derrière lui. Maintenant rassuré, vous pouvez vous permettre de ralentir et de reprendre votre souffle. Néanmoins, cette course vous a affaibli de 2 points d'Endurance.

Tirez maintenant un nombre de la Carte du Destin. S'il est compris entre 1 et 8 inclusivement, rendez-vous au **72**. Sinon, rendez-vous au **94**.

29

Vous poursuivez longtemps votre course désespérée, jusqu'à ce que la vérité vous apparaisse. Vous avez choisi la mauvaise direction. Ou peut-être l'Homme qui Marche, se sachant suivi, s'est-il soustrait à votre filature.

D'une façon comme de l'autre, vous avez définitivement perdu sa trace.

Vous ne pouvez vous empêcher de songer à Christian, Michel et Nicolas, vos amis morts dans cette vaine entreprise. Déçu et découragé, vous vous apprêtez à revenir sur vos pas, lorsque vous apercevez soudain une paire de lueurs : les yeux d'un chien de la nuit.

Puis deux autres lucioles, et deux autres encore.

Ils sont trois, dissimulés entre les arbres. Ils attendent leur heure.

Envahi par la terreur, vous courez aveuglément à travers les bois. Ce faisant, vous ne tardez pas à quitter le sentier, sans même vous en rendre compte. Les chiens monstrueux vous suivent à la façon d'ombres maléfiques. Ils savent qu'ils n'ont qu'à attendre que vous vous écrouliez, épuisé, tremblant et pleurant, quelque part au milieu de la forêt. Et alors, les crocs sauvages de l'un d'entre eux vous enverront rejoindre vos malheureux amis.

Ou peut-être leur échapperez-vous ? Dans ce cas, c'est une vie malheureuse qui vous attend à Valleyburg, car vous aurez éternellement la mort de vos amis sur votre conscience.

Que préférez-vous ? Car d'une façon comme de l'autre, cette aventure est terminée.

30

Avec un cri étranglé, vous voyez l'apparition ténébreuse franchir la distance qui vous sépare d'elle, comme portée par une bourrasque surnaturelle. Mû par un réflexe désespéré, vous bondissez vers l'arrière avec un cri d'effroi. La dague maniée par l'ombre meurtrière vous frôle la poitrine et laisse une écorchure douloureuse sur votre peau.

Vous perdez 4 points d'Endurance.

Vous avez échappé à une mort sanglante, mais vous êtes toujours en danger grave. Votre panique ne fait que s'intensifier lorsque vous apercevez, tout autour de l'échafaud, un rassemblement silencieux d'ombres identiques, chacune vêtue d'une longue robe noire à cagoule qui dissimule entièrement ses traits.

Pour autant que ces êtres aient des traits humains.

Le spectre qui manie la dague fait mine de vous agresser à nouveau. Vous n'avez plus le choix — il faut que vous défendiez votre vie.

Par ailleurs, vous devez combattre avec l'énergie du désespoir, car pendant que vous luttez, les autres spectres avancent à pas lents vers les marches qui entourent la plate-forme, refermant graduellement le cercle, scellant progressivement votre destin.

Ce n'est plus que l'épouvante qui vous permet de manier votre arme.

Si vous possédez l'Épée du Soleil Blanc, vous pouvez doubler tous les points de Dommage infligés à cette silhouette noire. La même règle s'applique à l'énergie émise par un Anneau du Feu Solaire ou une Baguette d'Anéantissement. En revanche, votre état de panique vous oblige à réduire votre Habileté de 3 points pour la durée de l'affrontement.

Comptez les Assauts du combat.

SPECTRE SACRIFICATEUR

Habileté 21 • Endurance 75 •
Dommages +4

Si vous triomphez en 5 Assauts ou moins,
rendez-vous au **71**. Si 5 Assauts ne suffisent
pas à vous accorder la victoire, rendez-
vous au **56**.

31

Pulvérisée, la paroi de la falaise se morcelle
dans une violente déflagration. Une véritable sphère de pure énergie enfle démesu-
rément et projette des quartiers de roc à
des dizaines de mètres dans les airs. Fort

heureusement, ces rocs disparaissent dans le ravin sans vous blesser, mais pendant toute la durée du feu d'artifice, vous ne pouvez empêcher la terreur de vous figer sur place.

Lorsque tout se calme, un grondement sourd continue à se faire entendre.

Tout à coup, la muraille, entamée par le mystérieux rayon, se disloque entièrement. Des rochers se mettent à pleuvoir sur la corniche, dans le ravin, et d'un seul coup, comme si un dieu avait claqué des doigts, tout s'écroule définitivement.

Chassant désespérément votre paralysie, vous courez à toutes jambes le long de la corniche. Vous devez absolument vous éloigner de l'endroit où toutes les pierres s'écraseront. Toutefois, c'est la falaise entière qui s'effondre, et non un simple pan de mur !

Quelques secondes encore, et on ne parlera plus de Jamie, 14 ans et demi, qu'au passé.

À ce moment, vous remarquez qu'à cinq mètres devant vous, la corniche forme un angle. Un angle au-delà duquel la paroi est demeurée intacte.

Tout va se dérouler au quart de seconde. Survivrez-vous ?

Tirez un nombre de la Carte du Destin. Retranchez 1 point pour chaque tranche de 4 points d'Habileté Naturelle dont vous disposez.

Si vous obtenez	0	1	2	3	4	5	6	7	8	9	10	11	12	13	14	15
Rendez-vous au	22				48							79				

32

Vous levez votre arme haut dans les airs, puis vous l'enfoncez de toutes vos forces dans le corps du quatrième et dernier Chien des Ténèbres. Un ultime hurlement s'échappe de sa gueule ensanglantée, puis ses yeux de lumière s'éteignent. Pendant un instant, vous contemplez la scène d'horreur qui s'offre à vous, mais lorsque vous n'en pouvez plus, vous courez à toute vitesse vers le sommet de la montagne.

L'Homme qui Marche a disparu — quel moment pour se laisser distancer ! Qui sait, à présent, si vous arriverez à temps, avant que l'entité n'ait disparu ?

Avec l'énergie du désespoir, vous poursuivez votre course effrénée. Et alors, sans le moindre avertissement, vous arrivez au sommet de la montagne.

L'Homme qui Marche se tient debout, face à vous, le dos tourné à une majestueuse arche de feu qui semble s'élever à une hauteur de cinquante mètres. Vous comprenez, avec incrédulité, que vous avez sous les yeux la véritable nature du « sommet phosphorescent » : une porte fabuleuse, qui irradie sa prodigieuse clarté à tous les azimuts.

Pourtant, ce qui vous fascine le plus n'est pas la porte de lumière. C'est l'Homme qui Marche lui-même, qui vous regarde calmement.

Dans ses yeux brille une lueur de reconnaissance.

Lentement, l'être recule vers l'arche éblouissante.

Voici venu le moment de vérité. Si vous souhaitez vous jeter sur l'être luminescent, malgré tous les risques qu'une telle action comporte, et tout mettre en œuvre pour venger vos amis disparus, rendez-vous au **80**. Si vous préférez attendre de comprendre ce qui se passe, au risque de perdre toute chance d'élucider le secret du promeneur de la nuit, rendez-vous au **16**.

33

Plus vous avancez, plus vous sentez votre volonté vous échapper. Vous êtes entraîné vers l'avant, sans pouvoir reculer. Vous trouvez cependant la force de regarder derrière vous pour la dernière fois. Là-bas, dans la distance, là où se trouvaient les deux pierres précieuses, il n'y a plus que le vide infini du couloir. Car tout a disparu, tout s'est anéanti dans la distance, et vous continuerez à marcher, prisonnier d'une force aussi irrésistible qu'inconnue, tel un automate, privé de toute résistance… pour l'éternité.

34

C'était un risque de trop.

Vous aviez raison de vous méfier de cette pierre flottante. Elle possède un étrange pouvoir qui lui permet de siphonner l'énergie vitale de quiconque entre en contact avec elle. Heureusement pour vous, le diamant provient, comme tous les maléfices de la Nuit Temporelle, d'un univers totalement différent. Dans cet univers, des prodiges qui seraient impensables sur cette terre sont possibles, mais puisque vous ne vous trouvez pas dans cet univers, et puisque la pierre elle-même n'appartient plus à l'univers en question, vous avez encore une chance de survivre à son contact normalement mortel.

Tirez un nombre de la Carte du Destin. Si vous obtenez :

Zéro

Vous avez été extrêmement chanceux. En raison des circonstances exceptionnelles décrites ci-dessus, vous n'avez ressenti aucun effet maléfique. Vous avez été épargné par la force maudite !

De 1 à 3

Vous vous sentez extrêmement faible et vos jambes se mettent à trembler. Retranchez de votre Habileté Naturelle le double du chiffre obtenu ; vous récupérerez ces points perdus comme si vous aviez subi une Blessure Grave, au rythme de 1 point par paragraphe. Toutefois, si vous devez livrer combat avant d'être rétabli, il faudra que vous le fassiez avec une Habileté réduite. Si votre total actuel d'Endurance est inférieur à 20 points, c'est le *triple* du chiffre obtenu que vous devez retrancher de votre Habileté.

De 4 à 9

Vous sentez une douleur horrible parcourir vos membres, mais elle ne dure qu'une ou deux secondes. C'est assez, cependant, pour vous affaiblir d'un nombre de points d'Endurance égal au double du chiffre pigé. N'oubliez pas de réduire temporairement votre Habileté Naturelle si cela représente une Blessure Grave.

De 10 à 13

Vous avez eu beaucoup de chance. Le pouvoir du diamant, normalement si terrible, n'est parvenu qu'à vous affaiblir de 5 points d'Endurance.

14 ou 15

Le terrible pouvoir maléfique du diamant a accompli son œuvre en dépit de toute probabilité. Presque instantanément, vous cessez de vivre, et votre corps inerte s'affaisse sur le sol. Ainsi s'achève votre courte existence.

Si vous avez survécu à cette dangereuse épreuve, vous pouvez prendre le temps de

vous en remettre avant de poser un nouveau geste. À quoi tout ceci rime-t-il ?
Après les chiens de la nuit, les pierres
magiques maudites ?

Qui est donc l'Homme qui Marche ?
Qu'allez-vous faire à présent ?

Si vous n'avez pas encore pris le rubis
dans vos mains, et si vous désirez le faire
malgré votre expérience avec le diamant,
rendez-vous au **88**. Si vous voulez vous
mettre en marche vers l'infini en suivant le
corridor, rendez-vous au **54**. Enfin, si vous
préférez franchir les treize portes et les
treize corridors en sens inverse afin de
retourner au-dehors, rendez-vous au **96**.

35

Vous jetez un regard nerveux au trou
sombre. Puisque rien ne semble s'y cacher,
vous marchez finalement en direction de
la porte, non sans garder un œil au centre
de la pièce. C'est une précaution qui vaut
son pesant d'or, car l'ouverture n'a rien
d'innocente.

Tout d'abord, vous croyez être le jouet
d'une illusion. Quelque chose a-t-il bougé ?

Vous tournez la tête. Votre cœur fait
alors un bond violent dans votre poitrine.

Une dizaine de tentacules noirs, longs et flexibles, jaillissent maintenant du trou obscur, formés, dirait-on, *de nuit à l'état pur*.

Votre réaction immédiate est de saisir votre arme. Elle vient juste à temps.

Les tentacules de noirceur pure se lancent à l'assaut. Alors que certains essaient de s'enrouler autour de vos jambes, d'autres fouettent votre torse et votre visage. Là où les serpentins sombres vous frappent, votre vitalité est aspirée, laissant une petite zone de peau flétrie et desséchée. Si vous voulez survivre, vous allez devoir vous défendre avec acharnement contre l'entité noire qui habite les profondeurs mystérieuses du trou sans fond.

Si vous possédez l'Épée du Soleil Blanc, vous pouvez doubler tous les points de Dommage infligés à cette créature. La même règle s'applique aux rayons émis par un Anneau du Feu Solaire ou une Baguette d'Anéantissement.

Comptez les Assauts que vous *perdrez* au cours de l'affrontement.

L'OBSCUR

Habileté 20 • Endurance 80

Si vous parvenez à triompher sans avoir perdu 5 Assauts, rendez-vous au **116**. Si vous subissez cinq fois ou plus la caresse sinistre des tentacules noirs, rendez-vous au **57**.

36

Un pas… deux… trois… et soudain, la boule de lumière vibre !

Est-ce une illusion causée par votre nervosité ou a-t-elle vraiment bougé ? Est-ce un autre cauchemar de la Nuit Temporelle ou cette sphère est-elle douée de vie ?

Vous faites courageusement — témérairement ? — un pas de plus.

Ce n'était pas une illusion. Et à partir du moment où cette vérité vous apparaît, tout se déroule dans un tourbillon chaotique de son et de lumière.

La boule lumineuse se soulève spontanément dans les airs et vole en éclats dans une explosion violente. Cependant, aucun fragment de verre ne se voit propulsé à travers la pièce. La sphère s'est désintégrée en énergie pure.

En même temps, quelque chose de sombre se déploie à la vitesse de l'éclair, tel un ressort fortement comprimé qui se serait détendu d'un seul coup.

Seul un instant du temps réel s'est écoulé, mais vous avez l'impression que la transformation du globe lumineux a duré plusieurs secondes. Lorsque vous détournez enfin les yeux de la lumière vive, vous apercevez la chose qui était emprisonnée dans la sphère.

Un oiseau d'apparence reptilienne, semblable à un petit ptérodactyle, vole maladroitement dans la pièce. L'abominable

créature vous repère et plonge immédiatement sur vous. Au même moment, vous
constatez que ses ailes sont recouvertes
d'un fin quadrillage lumineux. Vous
l'ignorez, mais ce réseau de lignes agit à
la façon d'un bouclier puissant, protégeant
la créature des dommages extérieurs.

Vous poussez un cri de frayeur et
de douleur quand les ailes de l'entité
vous atteignent au visage, vous brûlant la
joue. Vous perdez 4 points d'Endurance.
Presque aussitôt, l'oiseau aux ailes d'énergie
revient à la charge. Qu'allez-vous faire ?

Si vous voulez saisir une arme et vous
battre, rendez-vous au **61**. Si vous préférez
sortir en courant de la maison avant d'être
plus sérieusement blessé, rendez-vous
au **78** si vous êtes descendu à la cave, mais
au **96** dans le cas contraire.

37

Si vous avez correctement visé, votre trait
de feu part et va toucher la créature
en plein corps. Calculez les points de
Dommage que vous lui avez infligés et
réduisez ses totaux d'Endurance et d'Habileté en conséquence. Si vous le souhaitez,
vous pouvez tirer plusieurs fois, tant que

votre arme possède encore des charges énergétiques.

Le monstre a 48 points d'Endurance. Si vous le foudroyez raide mort, rendez-vous au **113**.

Sinon, l'Être Hurlant furieux vous attaque sauvagement. Vous l'avez blessé, et plus rien n'arrêtera sa charge féroce, sinon la mort. Vous ne pouvez pas fuir : la bête est presque sur vous et sa rapidité est démoniaque. Par conséquent, vous allez devoir livrer combat.

Lors du premier Assaut, votre Habileté sera handicapée de 2 points, en raison des quelques secondes que vous perdrez à ranger la Baguette d'Anéantissement pour pouvoir brandir votre arme. Cependant, si la Baguette d'Anéantissement n'a plus de charges, vous pourrez simplement la jeter. Dans ce cas, vous n'aurez pas à appliquer cette pénalité.

ÊTRE HURLANT

Habileté 24 • Endurance 48 •
Dommages +2

Si la créature vous blesse trois fois de suite, elle réussira à vous immobiliser sous son poids. Elle plongera alors ses crocs dans votre nuque, mettant ainsi fin à votre aventure, sans parler de votre vie. Si vous sortez vainqueur de la bataille, rendez-vous au **113**.

38

Cette vapeur bleue qui se répand dans la pièce possède de puissantes propriétés fortifiantes. C'est littéralement une vapeur de vie, un autre prodige de l'univers de la nuit — mais un prodige bénéfique celui-là. Vous ne pouvez éviter de respirer un peu de vapeur bleutée, et vous ressentez aussitôt une nouvelle force se répandre dans votre organisme, envahissant chaque recoin de votre âme. Vous gagnez 1 point d'Habileté Naturelle et 15 points d'Endurance. Vous pouvez également améliorer de 2 points votre Total Maximum d'Endurance.

Ayant compris à temps quel profit vous pouvez tirer de cette découverte extraordinaire, vous rebouchez la bouteille de verre au plus vite. Ce faisant, vous réussissez à emprisonner une petite quantité de la vapeur de vie, pendant que le reste se dissipe et s'estompe dans l'air, jusqu'à ce qu'il n'en reste plus la moindre trace.

La quantité restante représente une autre dose de ce gaz fortifiant, qui aura sur votre organisme le même effet que celle que vous venez de respirer. Inscrivez cette bouteille de Vapeur Bleue [30] sur votre Feuille d'Aventure, tout en notant que son contenu vous fera gagner 1 point d'Habileté Naturelle, 15 points d'Endurance et

2 points d'Endurance Maximale lorsque vous choisirez de le respirer.

Ces événements étranges vous font réfléchir de plus belle à votre situation. Par la faute de l'Homme qui Marche, vous évoluez, non dans la paisible forêt entourant Valleyburg, mais dans un univers de sorcellerie, de prodiges mystérieux et de créatures monstrueuses. Vous commencez à donner raison à ceux, au village, qui prétendent qu'un autre univers remplace le nôtre durant la nuit de l'Homme qui Marche.

En attendant d'élucider le mystère toujours aussi profond du spectre de Valleyburg, qu'allez-vous faire ? Si vous ne l'avez pas encore fait, vous pouvez ouvrir le coffret. Rendez-vous au **47**. Ou vous pouvez redescendre au premier étage.

Si tel est votre choix, vous revenez dans l'immense pièce dénuée de tout meuble qui couvre à elle seule la superficie de trois maisons comme celle-ci. Allez-vous ouvrir la porte sous laquelle filtre un rai de lumière ? Rendez-vous au **77**. Ou allez-vous quitter cette maison et reprendre sans plus tarder la filature du fantôme de la Nuit Temporelle ? Rendez-vous au **29**.

39

Marchant toujours une vingtaine de mètres derrière l'homme luminescent, vous pénétrez à nouveau dans la forêt, le long de la route de terre qui appartient au monde réel. Vous avez eu un peu de répit — et encore faut-il s'entendre — tandis que l'Homme qui Marche absorbait l'énergie de son globe mystérieux, mais vous avez l'impression que ce répit ne durera pas.

Il va vous arriver quelque chose.

La route se met à grimper en pente douce ; vous entamez la traversée de la montagne. Au moins avez-vous appris que la petite agglomération n'était pas la destination finale de l'Homme qui Marche. En fait, plus votre filature progresse, plus vous avez la certitude que le promeneur spectral se rend au sommet luminescent dont vous avez découvert l'existence voilà cinq ans.

Mais si tel est bien le cas, un long parcours vous attend encore, et vous feriez mieux de ménager vos forces. La lune vous permet de voir où vous mettez les pieds, mais non quelles créatures vous observent peut-être, tapies dans la pénombre.

C'est à ce moment que vous sursautez vivement. Quelque chose semble avoir bougé, là, sur votre droite, dans le feuillage. Est-ce une illusion causée par votre nervosité ou êtes-vous vraiment épié par un être de la nuit ?

À bien y regarder, vous croyez discerner une vague lueur…

Tirez un nombre de la Carte du Destin.

Si vous obtenez	0	1	2	3	4	5	6	7	8	9	10	11	12	13	14	15
Rendez-vous au	23	81*									10					

*Rendez-vous plutôt au **46** si vous avez l'Épée du Soleil Blanc*

40

À mesure que vous avalez le liquide jaune contenu dans la fiole, vous ressentez un regain d'énergie. Vous buvez le liquide bienfaisant jusqu'à la dernière goutte, ce qui vous permet de récupérer 12 points d'Endurance.

Empli de nouvelles forces, vous rejetez la fiole vide. Après un rapide examen des lieux, vous en venez à la conclusion que vous n'avez plus rien à faire ici. Par conséquent, vous empruntez le tunnel en sens inverse.

Une fois de plus, vous ressentez l'étrange impression de traverser un mur de papier invisible. Quelques minutes plus tard, vous êtes de retour sur la corniche. Vous constatez alors que le panneau a dit vrai : l'Homme qui Marche n'a pas bougé d'un millimètre pendant que vous exploriez la caverne, ni pendant que vous exterminiez son féroce occupant. Vous étiez dans une autre dimension, une réalité parallèle où le temps lui-même n'avançait plus, et par conséquent, les minutes que vous y avez vécues n'ont jamais existé.

Vous avez vaincu une créature monstrueuse en zéro seconde.

Avec un sourire confus, vous vous remettez en marche, sur les talons du promeneur de la Nuit Temporelle. Désormais, vous vous promettez de rester dans le monde réel.

Aventures intemporelles mises de côté, vous n'avez toujours pas trouvé la réponse à la question la plus importante : *Quelle est la destination de l'Homme qui Marche ?*

Vous l'ignorez encore, mais vous allez bientôt l'apprendre.

Rendez-vous au **82**.

41

Gardant l'Homme qui Marche à cent pas devant vous, vous continuez inlassablement votre interminable filature. Il est impossible d'apercevoir d'ici le sommet phosphorescent qui représente, selon vous, la destination finale de l'entité, alors vous ne pouvez faire autrement que la suivre jusqu'à ce qu'elle arrive quelque part. Fort heureusement, vous n'avez pas encore rencontré d'obstacle insurmontable. Le seul vrai danger provenait des créatures que vous avez combattues, mais jusqu'à présent, vous avez eu assez de chance pour échapper à la mort.

À ce moment, l'être phosphorescent quitte la route et s'enfonce dans la forêt.

Vous vous demandez momentanément pourquoi il a agi ainsi. Vous craignez même avoir été repéré, mais la véritable explication vous apparaît presque aussitôt. Vous n'avez pas été vu. C'est plutôt un large sentier qui est apparu, serpentant entre les arbres lugubres de la forêt et s'enfonçant dans la nuit.

Une piste qui, comme le reste, ne doit exister que le temps d'une nuit.

Sans hésiter, vous vous engagez à votre tour sur le sentier, à la poursuite de l'être lumineux. Vous le suivez longtemps ainsi, dans les ténèbres presque totales, sur un étroit chemin poussiéreux qui ne cesse de monter abruptement.

Vingt bonnes minutes s'écoulent. Vous devez maintenant avoir atteint une hauteur respectable à flanc de montagne. Pourtant, le spectre demeure insensible à la fatigue.

Tirez un nombre de la Carte du Destin. S'il est compris entre 1 et 9 inclusivement, rendez-vous au **72**. Sinon, rendez-vous au **94**.

42

Six yeux se sont allumés. Vous allez donc livrer bataille à *trois* de ces monstres !

Sans doute s'agit-il des trois molosses qui ont tué vos amis pendant que vous combattiez le quatrième. En fait, c'est uniquement grâce à cette conviction que vous trouvez le courage de faire face aux créatures. Vous devez venger vos amis. Ces monstres doivent périr !

Ce combat à trois contre un ne vous sera guère favorable, mais contre toute attente, vous aurez un avantage : l'un des trois chiens se tiendra à l'écart et n'interviendra que si les deux autres sont en difficulté. Luttez d'abord contre les deux premiers molosses en alternant les Assauts. Quand l'un d'eux sera mis en état de Faiblesse Grave, le dernier se joindra à l'action, mais selon les règles de la Faiblesse Grave, les points d'Entraide du chien affaibli ne pourront plus s'additionner à l'Habileté de ses congénères.

Ces êtres maudits se battront jusqu'à leur dernier souffle pour vous empêcher de parvenir jusqu'à l'Homme qui Marche. Bonne chance !

Deuxième CHIEN DES TÉNÈBRES
Habileté 14 • Endurance 48 • Dommages +1
Facteur d'Entraide +3

Troisième CHIEN DES TÉNÈBRES
Habileté 16 • Endurance 50 • Dommages +1
Facteur d'Entraide +2

Quatrième CHIEN DES TÉNÈBRES
Habileté 18 • Endurance 52 • Dommages +1
Facteur d'Entraide +3

Si vous parvenez à vaincre les trois monstres de la nuit sans succomber à leurs gueules salivantes, rendez-vous au **32**.

43

Avec prudence, vous pénétrez dans la maison d'un autre temps. Vous êtes surpris de constater qu'une fois vue de l'intérieur, la maison est beaucoup plus vaste qu'elle ne paraissait l'être de l'extérieur. Couloirs et pièces s'enchaînent et forment un vrai labyrinthe, le tout beaucoup trop spacieux pour correspondre logiquement à l'aspect extérieur de l'habitation.

Vous secouez la tête avec une sorte de résignation fascinée. Quelle dimension étrange que celle où vous évoluez maintenant !

Un univers tout à fait étranger — un univers où les lois de la nature n'ont plus entièrement leur place.

Vous fouillez la maison étrange dans ses moindres recoins, mais sans trouver d'objets intéressants. En fait, cette habitation est étonnamment vide, jusqu'aux meubles qui brillent par leur absence. Cette succession de chambres vides commence d'ailleurs à vous donner la chair de poule, et c'est avec circonspection que vous ouvrez la porte de l'une des deux dernières pièces. Vous avez l'impression que vous êtes attendu, observé par une présence invisible, ce qui ne fait absolument rien pour vous rassurer.

Dès que vous poussez le battant, vous sursautez violemment en apercevant un homme à l'intérieur de la pièce. Chauve, vêtu d'un habit gris pâle, il vient de vous apercevoir en retour. Sa première réaction, qui lui vient tout naturellement, est de saisir l'arc qu'il porte en bandoulière et d'y encocher une flèche à la pointe de verre.

Vous évitez de justesse le trait mortel, qui va éclater sur la paroi de la pièce. En silence, l'homme encoche immédiatement une nouvelle flèche. Le carquois, à son épaule, en contient au moins une dizaine.

Si vous cédez à la panique et tentez de fuir au plus vite cette maison diabolique et ce tueur chauve, rendez-vous au **24**. Si vous préférez rassembler votre courage — ce qui en reste — et vous défendre contre l'homme en gris et ses flèches de verre, rendez-vous au **73**.

44

Vous avancez nerveusement vers le trou sombre. Rien ne semble s'y cacher, mais la présence de ce puits incongru vous inquiète. Pourquoi l'a-t-on creusé à cet endroit, alors que la maison entière ne contient rien d'autre ?

Tout à coup, vous tressaillez.

Pendant un instant, vous croyez avoir été le jouet d'une illusion. Dans l'instant qui suit, votre cœur fait un bond violent dans votre poitrine. Une dizaine de tentacules noirs, longs et flexibles, jaillissent du trou obscur, formés, dirait-on, *de nuit à l'état pur*.

Votre réaction immédiate est de saisir votre arme. Elle vient juste à temps.

Les tentacules de noirceur pure se lancent à l'assaut. Alors que certains essaient de s'enrouler autour de vos jambes, d'autres fouettent votre torse et votre visage. Là où les serpentins sombres vous frappent, votre vitalité est aspirée, laissant une petite zone de peau flétrie et desséchée. Deux d'entre eux ont déjà saisi l'une de vos jambes, vous interdisant tout espoir de fuite. Par ailleurs, ils entraveront vos mouvements et pénaliseront votre Habileté Naturelle de 2 points pour toute la durée de l'affrontement.

Si vous voulez survivre, vous allez devoir vous défendre avec acharnement contre l'entité noire qui habite les profondeurs mystérieuses du trou sans fond.

Si vous possédez l'Épée du Soleil Blanc, vous pouvez doubler tous les points de Dommage infligés à cette créature. La même règle s'applique aux rayons émis par un Anneau du Feu Solaire ou une Baguette d'Anéantissement.

Comptez les Assauts que vous *perdrez* au cours de l'affrontement.

L'OBSCUR

Habileté 20 • Endurance 80

Si vous parvenez à triompher sans avoir perdu 4 Assauts, rendez-vous au **116**. Si vous subissez quatre fois ou plus la caresse sinistre des tentacules noirs, rendez-vous au **57**.

45

Vous n'avez pas eu les réflexes assez rapides pour éviter la monstrueuse créature. Elle s'abat violemment sur votre dos et vous projette au sol. Désespérément, vous vous retournez et frappez à coups redoublés la forme indistincte qui vous écrase sous son poids. Les yeux flamboyants de la créature vous fixent avec cruauté. Tout à coup, une mâchoire garnie de crocs apparaît à quelques centimètres de votre gorge. Tirez un autre nombre de la Carte du Destin, en souhaitant qu'il vous soit plus favorable que le précédent. S'il est compris entre :

0 et 2

Vous parvenez à repousser la créature d'un grand coup de genou au flanc. Elle roule dans la poussière et se relève immédiatement en grognant, furieuse et prête à en découdre.

3 et 10

Vous réussissez à protéger votre gorge, mais c'est votre bras que la créature mord furieusement, vous arrachant un grand cri de douleur. Vous perdez 12 points d'Endurance. En vertu de la règle des Blessures Graves, ceci vous affaiblira de 1 point d'Habileté pour la durée du combat qui va suivre.

11 et 15

La créature referme ses crocs reluisants sur votre gorge, mettant un terme horrible et sanglant à votre vie et à votre filature.

Vous n'aurez pas tardé à rejoindre vos amis… et la sinistre Nuit Temporelle gardera ses secrets.

Si vous avez survécu, vous parvenez à vous relever et vous vous préparez à affronter la bête sauvage. Elle prend la forme d'un horrible chien noir aux yeux aussi rouges que les feux de l'enfer. C'est une lutte à mort qui s'engage. Vous n'avez aucun espoir de prendre la fuite.

CHIEN DES TÉNÈBRES

Habileté 11 • Endurance 65 •
Dommages +1

Si vous venez à bout de ce redoutable adversaire, rendez-vous au **117**.

46

La clarté n'était pas une illusion. En effet, une « chose » lumineuse apparaît entre les arbres, glissant lentement dans votre direction. C'est une étrange entité, un nuage de lumière bleutée qui bat comme un cœur… une créature qui semble terriblement menaçante.

Soudain, deux flammes verdâtres s'allument dans la masse lumineuse. En même temps, deux traits de feu filent droit sur vous. Par miracle, vous les évitez de justesse, mais l'immonde créature se rapproche inexorablement.

Comment allez-vous échapper à une pareille apparition ?

La réponse est évidente : vous allez devoir la détruire. Pour cela, seule l'Épée du Soleil Blanc vous offre une lueur d'espoir. Vous vous trouvez dans l'obligation de vous battre contre cette redoutable créature de lumière.

Si vous possédez une Baguette d'Anéantissement ou un Anneau du Feu Solaire, sachez que leur énergie n'aura pas le même effet sur cette entité que sur un ennemi de chair et d'os. Tout rayon d'énergie projeté par l'une de ces armes traversera purement et simplement le corps immatériel de la créature. Elle sera tout de même incommodée, mais elle ne perdra que la moitié des points d'Endurance réglementaires.

Seule l'Épée du Soleil Blanc, issue du même univers que l'entité et dotée de pouvoirs que vous ignorez encore, peut réellement en venir à bout. Toutefois, prenez garde à vous, car les rayons de feu vert émis par les yeux de l'apparition sont extrêmement dangereux !

ENTITÉ LUMINEUSE

Habileté 21 • Endurance 18 •
Dommages +10

Si vous remportez le combat malgré l'avantage redoutable que les rayons verts confèrent à votre adversaire, continuez sans plus tarder votre filature de l'Homme qui Marche. Heureusement, celui-ci n'aura guère eu le temps de vous distancer, et vous pourrez le rattraper facilement.

Rendez-vous au **66**.

47

Le coffret renfermait un piège.

Lorsque vous soulevez le couvercle, une aiguille de métal jaillit promptement. Elle est enduite d'un liquide visqueux qui ne peut être qu'un poison.

Serez-vous assez rapide pour éviter cette fléchette ?

Tirez 2 nombres de la Carte du Destin (0 = –10) et additionnez-les. Si le résultat est inférieur ou égal à votre Habileté Naturelle, vous évitez le projectile, qui va se ficher de manière inoffensive dans le mur de la pièce.

Sinon, de combien la somme obtenue dépasse-t-elle votre Habileté Naturelle ?

De 8 points ou moins

La fléchette se fiche dans votre épaule. Fort heureusement, le poison n'était pas mortel, mais il vous affaiblit tout de même sérieusement. Vous perdez 8 points d'Endurance.

De 9 points ou plus

La fléchette s'enfonce dans votre poitrine. Dans ce cas, le poison atteint vos organes vitaux et vous affaiblit bien davantage. À ce moment, il est parfaitement possible que vous en mouriez. Vous perdez 16 points d'Endurance et votre Habileté Naturelle est pénalisée de 1 point jusqu'à la fin de cette aventure.

Si vous avez survécu, plus rien ne vous empêche de fouiller dans le coffret, qui contient deux pilules rouges [2] et un anneau serti d'une gemme bleue. Cette bague est gravée de caractères que vous n'avez jamais vus, mais qui signifient « *Feu Solaire* ». Vous seriez bien en peine d'expliquer comment vous le savez ; la signification des symboles inconnus paraît s'être transmise directement à votre conscience.

Si vous avez déjà des pilules rouges en votre possession, ajoutez-y celles-ci. Sinon, vous pouvez quand même emporter ces deux-ci, mais sans en connaître l'utilité. Si vous désirez l'apprendre un jour, mémorisez le numéro du paragraphe que vous serez en train de lire, puis rendez-vous au **99** pour avaler une pilule rouge.

Après avoir rangé les comprimés, vous examinez attentivement l'anneau. Que peut bien signifier cette inscription « Feu Solaire » ?

Subitement, un soupçon intéressant vous vient. Tout en vous protégeant le visage, vous glissez un doigt sur le contour de la gemme bleue. Aussitôt, elle émet un vif trait de feu qui va creuser un petit trou fumant dans l'un des murs.

Un sourire plisse immédiatement vos lèvres.

Vous avez entre les mains une bague capable de projeter de petites décharges d'énergie. Pour savoir à combien de tirs vous avez droit, utilisez la Carte du Destin (0=16). À chaque fois que vous utiliserez cette bague pour vous défendre dans un combat, l'adversaire perdra 4 points d'Endurance. Vous pourrez tirer plusieurs fois en succession rapide pour infliger des Blessures Graves, ce qui pourra représenter une stratégie efficace dans un combat contre un adversaire dont l'Habileté est élevée.

Inscrivez l'Anneau du Feu Solaire et ses propriétés sur votre Feuille d'Aventure. Glissez-le à votre doigt, puis prenez votre prochaine décision.

Si vous voulez ouvrir la bouteille de vapeur bleue, rendez-vous au **5**. Si vous préférez revenir au premier étage, vous pouvez ouvrir la porte sous laquelle filtre le rai de lumière, en vous rendant au **77**. Ou vous pouvez quitter cette maison et poursuivre votre filature sans plus tarder, en vous rendant au **29**.

48

Un miracle a dû se produire, car vous parvenez à atteindre l'angle de la corniche sans être écrasé. Cependant, vous n'avez pu éviter d'être atteint par plusieurs pierres, qui vous ont infligé de vilaines ecchymoses aux épaules et aux bras. Tirez trois nombres de la Carte du Destin. Rejetez le plus élevé et le plus faible. Celui qui reste représente les points d'Endurance que vous devez retrancher de votre total actuel. S'il s'agit d'un 0, vous êtes tout simplement indemne.

Au-delà de l'angle de la corniche, la paroi de la falaise est intacte. Vous n'êtes donc plus en danger. En revanche, il sera dorénavant impossible de revenir en arrière, car l'avalanche, derrière vous, a entraîné le sentier au fond de l'abîme.

Vous n'aviez pas l'intention de renoncer à votre filature, mais même en admettant que vous l'ayez eue, ce n'est plus possible désormais. Vous devez progresser de l'avant.

Par conséquent, vous continuez à marcher sur l'étroit entablement.

L'Homme qui Marche avance toujours à quelques dizaines de mètres devant vous. Chose étrange, il a maintes fois eu l'occasion de remarquer votre présence sur ses talons, mais il ne semble pas s'en soucier outre mesure.

Peut-être se fie-t-il aux créatures de la nuit pour vous éliminer ?

La corniche s'allonge interminablement, mais toujours en pente ascendante, ce qui tend à prouver que vous vous approchez du sommet phosphorescent. Votre filature toucherait-elle à sa fin, en même temps que la Nuit Temporelle ?

À ce moment, vous apercevez quelque chose d'inattendu. Dans la paroi de la falaise s'ouvre une grotte, et des profondeurs de cette grotte provient une vague luminescence.

Vous froncez les sourcils. Quel est ce nouveau phénomène ?

Si vous souhaitez suspendre la filature de l'Homme qui Marche pour aller explorer la caverne qui s'offre à vous, au risque de perdre la trace du promeneur luminescent, rendez-vous au **6**. Si vous préférez ne pas vous occuper de la grotte, au risque de sacrifier une découverte importante, continuez votre marche prudente sur l'entablement et rendez-vous au **82**.

49

Votre marche se poursuit sans encombre pendant plusieurs minutes, mais tout à coup, Nicolas s'écrie avec terreur :

— Regardez là-bas ! Quelque chose a bougé !

Comme pour appuyer ses dires, huit lucioles rouges s'allument dans l'obscurité. Les billes de feu se meuvent deux par deux dans la pénombre, trahissant leur vraie nature : les yeux flamboyants de quatre créatures obscures.

Quatre monstres contre quatre jeunes garçons… Tout ceci ne présage rien de bon.

Brusquement, la nuit s'anime.

Une forme noire jaillit du bois et s'abat sur Nicolas, qui pousse un grand cri de terreur avant de disparaître sous la masse de son assaillant. Avec une horreur indicible, vous discernez enfin les créatures qui vous attaquent : de monstrueux chiens noirs aux yeux rouges comme les feux de l'enfer.

Les trois autres créatures convergent vers Michel, Christian et vous-même. Sans avertissement, elles passent à l'attaque. Vous ne pouvez éviter l'assaut des bêtes, et la bataille désespérée commence. Puisque vous avez le soutien de vos amis, vous pouvez ajouter 3 points à votre Habileté *pour les 3 premiers Assauts*. Ensuite, le quatrième monstre viendra se joindre à la curée, et puisque vous serez alors trois contre quatre, vous perdrez cet avantage.

CHIEN DES TÉNÈBRES

Habileté 11 • Endurance 65 •
Dommages +1

Si vous venez à bout de votre adversaire horrible, rendez-vous au **13**. Dans le cas contraire, votre aventure prend fin avant d'avoir réellement commencé.

50

Déterminé à comprendre pourquoi l'Homme qui Marche s'est arrêté ici pour absorber l'énergie contenue dans le globe de lumière, vous vous approchez dudit globe. C'est une sphère d'une matière semblable au quartz, mais probablement tout à fait différente. Elle est beaucoup trop lourde pour que vous puissiez l'emporter, comme vous le constatez dès que vous essayez de la soulever. Par ailleurs, elle ne semble posséder aucune propriété hors du commun.

Cela vous permet de vous demander ce que faisait exactement l'Homme qui Marche.

Malgré toutes vos investigations, vous ne parviendrez à aucune conclusion satisfaisante. La seule explication possible n'est qu'une réitération des faits connus : l'Homme qui Marche avait un besoin quelconque en énergie, et ce globe l'a comblé.

Un peu déçu, vous délaissez la sphère… et c'est alors que vous ressentez l'impression de force immense qui s'est infiltrée en vous.

Vous avez, vous aussi, absorbé les énergies du globe — la minuscule quantité de puissance qui dormait encore dans ses profondeurs, et que l'Homme qui Marche n'a pas cru bon d'extraire. Ces énergies d'un autre monde sommeillent maintenant dans votre âme. Elles se manifesteront dès que vous ferez le moindre effort physique. C'est pourquoi vous pouvez augmenter de 3 points votre Habileté Naturelle, à condition de ne pas dépasser le maximum permissible de 20 points pour cette première aventure.

Si vous totalisez plus de 20 points d'Habileté Naturelle, vous pouvez échanger chaque point excédentaire contre une amélioration de 4 points de votre Total Maximum d'Endurance. Dans tous les cas, rétablissez également votre Endurance actuelle à sa valeur maximale.

Peut-être pourriez-vous gagner des forces supplémentaires si vous restiez longtemps ici, les mains posées sur la sphère, mais le temps vous est malheureusement compté. L'homme lumineux a presque disparu dans la forêt. À regret, vous tournez le dos au globe prodigieux et vous reprenez la filature de l'énigmatique promeneur de la nuit.

Rendez-vous au **39**.

51

Usant de multiples précautions, vous ouvrez la porte de la maison. Ce geste révèle une pièce d'une profondeur de six mètres, mais qui se prolonge des deux côtés sur une distance tout à fait inimaginable. Non seulement cette « pièce » est-elle plus large que la maison entière, mais en outre, vous seriez prêt à affirmer que ce corridor n'a pas de fin.

L'infini, à gauche comme à droite.

Six mètres devant vous, il y a une autre porte, que vous décidez d'ouvrir. Elle donne sur un second corridor infini, parallèle au premier. Six mètres devant vous, vous apercevez, sans réellement y croire, une nouvelle porte.

Quelque chose vous dit que vous risquez de passer encore bien des portes si vous persévérez dans votre exploration cette maison. Six cent soixante-six, peut-être.

Si vous choisissez de renoncer à cette exploration pour sortir de la maison mystérieuse, rendez-vous au **96**. Si vous souhaitez continuer à passer porte après porte jusqu'à ce que vous arriviez quelque part ou jusqu'à ce qu'un piège se referme sur vous, rendez-vous au **12**.

52

Vous courez à en perdre haleine, à la poursuite de l'être énigmatique qui est responsable de la mort de vos amis. Vous ne l'avez toujours pas rattrapé lorsque votre attention est attirée par un gros coffre peint en blanc, qui dégage une faible phosphorescence entre les arbres.

La malle est étrangement illuminée par la lumière lunaire qui s'infiltre entre les branches. Devant elle, vous hésitez un long moment. Sans doute ce coffre est-il un autre piège à votre intention, un autre maléfice de l'Homme qui Marche et de sa nuit maudite.

En fait, qu'il s'agisse d'un piège ou non, il est certain que le coffre provient du même endroit que toutes les autres horreurs de la Nuit Temporelle.

Les questions se pressent dans votre esprit. Qui est l'Homme qui Marche ? Où se rend-il ? D'où vient-il, lui et toutes les créatures qui hantent la nuit ? Quel phénomène paranormal provoque leur apparition, et enfin, *pourquoi* apparaissent-elles ?

Vous êtes également tracassé par une autre question, plus immédiate.

Devez-vous ouvrir le coffre ou l'ignorer et vous relancer à la poursuite du spectre ?

Si vous décidez d'ouvrir la malle phosphorescente, faites-le du bout de votre bâton et rendez-vous au **76**. Si vous préférez reprendre la poursuite sans tarder, courez à fond de train et rendez-vous au **106**.

53

Votre interlocuteur réagit avec étonnement.

— L'Homme qui Marche ?… Ah, je crois savoir de qui tu veux parler. L'Intemporel, n'est-ce pas ? Celui qui apparaît à chaque terizen ?

— À chaque… quoi ?

— Terizen. Trillionnième d'éternité.

Voyant votre réaction éberluée, l'homme précise avec un sourire :

— Cinq ans. À tous les cinq ans.

— Il... Il s'appelle l'Intemporel ?
« Celui Sans Temps » ?

— Exact. Mais je crois que tu as perdu
sa trace, car il ne vient pas de ce côté. Lorsqu'il apparaît, il suit la route qui traverse
cette vallée de part en part. À un certain
moment, il traverse même un village.
D'ailleurs, je ne crois pas me tromper en
affirmant que c'est de là que tu viens.

Voyant qu'il dispose de votre pleine attention, l'homme poursuit tranquillement :

— L'Intemporel suit la route jusqu'à ce
qu'elle grimpe dans la montagne, puis il
emprunte un sentier qui le mène jusqu'à sa
destination : une fenêtre sur son univers.
Sur mon univers. Tant et aussi longtemps
que dure sa marche vers cette fenêtre,
une partie de cet univers... *surexiste* par-
dessus le tien, ce qui entraîne des phénomènes assez extraordinaires. Quand deux
mondes si différents entrent en contact, on
peut s'attendre à tout.

— Un... Un autre univers ?...

Votre interlocuteur esquisse un sourire
énigmatique.

— Revenons-en à ta filature. Je crois
savoir où l'Intemporel se trouve en ce
moment. Il prend une pause dans une

clairière non loin d'ici, près de quatre maisons, pour puiser l'énergie contenue dans
un globe de lumière. Cette énergie lui est
nécessaire pour compléter sa marche. Les
quatre maisons, pour leur part, ne sont pas
de ce monde. Pas plus que celle-ci,
d'ailleurs. En fait, si je suis ici, c'est uniquement parce que j'ai trouvé le moyen de
suivre l'Intemporel dans cette dimension,
à chaque fois qu'il y vient. Si tu veux
rejoindre « l'Homme qui Marche », je peux
te transporter dans les parages de ces
quatre maisons.

Vous devinez, en présence de cet homme,
que la réponse à toutes vos questions est à
votre portée. Sans que vous ne puissiez la
réprimer, l'une d'elles fuse de vos lèvres.

— Pourquoi vient-il à Valleyburg ?

L'homme secoue doucement la tête.

— Il ne vient pas spécifiquement à
Valleyburg. Non, n'essaie pas de m'inter-
roger. Pour l'instant, je ne peux t'en dévoiler
davantage. Toutefois, je connais effectivement la raison pour laquelle il apparaît.
Cette raison... il te la révélera lui-même.

C'est avec étonnement que vous recevez
cette affirmation, mais l'homme ne vous

laisse pas le temps de réfléchir à ce nouveau rebondissement.

— Maintenant, je vais te remettre sur la bonne voie. En même temps, je t'encourage à poursuivre ta filature. Le secret de l'Intemporel est… disons… *extraordinaire*…

Rendez-vous au **64**.

54

C'est décidément un drôle de corridor. Six mètres de largeur, trois mètres de hauteur. Jusque-là, c'est parfaitement naturel. Mais sa longueur, encore indéterminée, n'a pas sa place dans la logique des choses. Vous avez déjà marché pendant trois minutes sans en apercevoir l'extrémité. Pourtant, il doit en avoir une — *vous êtes à l'intérieur d'une maison !*

Quel étrange univers que celui où de tels phénomènes sont monnaie courante, songez-vous en marchant d'un pas lourd.

Et vous marchez encore… et encore… inexorablement… vers le vide…

Tirez un chiffre de la Carte du Destin. Si votre Endurance actuelle est supérieure ou égale à 25, retranchez 2 points. Si elle est supérieure ou égale à 50, retranchez 4 points.

Si le résultat est inférieur ou égal à 10, rendez-vous au **118**.

S'il est supérieur ou égal à 11, rendez-vous au **33**.

55

Vous suivez paisiblement l'Homme qui Marche, prenant soin de ne pas être vu par celui-ci. Ce n'est guère difficile, car l'être spectral ne tourne jamais la tête.

Soudain vous pâlissez de terreur lorsque deux yeux rouges s'allument dans la pénombre. Il s'agit d'une autre redoutable créature de la nuit, un monstre semblable à celui que vous avez déjà combattu et vaincu. Vous essayez de paraître détendu, de ne pas montrer votre terreur, mais cette technique, parfois efficace face aux chiens errants, n'a aucun véritable espoir de porter fruit devant les monstres de la Nuit Temporelle.

L'être aux yeux de feu émerge du sous-bois et avance sur la route. C'est effectivement un nouveau chien obscur. Retroussant les babines, il vous saute à la gorge en grognant sauvagement. Tandis que la phosphorescence dégagée par l'Homme qui Marche s'estompe, vous affrontez un redoutable molosse dont vous n'apercevez que les yeux flamboyants.

Saisissez votre arme : vous ne vous en sortirez pas autrement.

CHIEN DES TÉNÈBRES

Habileté 14 • Endurance 48 •
Dommages +1

Si vous parvenez à lui faire rendre l'âme — en admettant qu'il en possède une, ce dont vous avez raison de douter — rendez-vous au **104**.

56

Tout à coup, une main sombre se referme sur votre visage. Une main sans doigts, semblable à un gant épais et humide. Un cri de terreur vous échappe, mais avant que vous n'ayez pu vous débattre, une seconde main se joint à la première et recouvre votre bouche. Une noirceur surnaturelle obscurcit votre vision. En un instant horrible, vous sentez les ténèbres elles-mêmes vous engloutir, tout comme si les mains appartenaient à un avatar de la Nuit. Vous glissez dans l'inconscience, terrorisé par le sort qui vous attend.

Lorsque vous rouvrez les yeux, vous ne contemplez qu'un ciel étoilé.

Tout à coup, vous entendez des murmures lugubres. Vous relevez faiblement la tête, assez longtemps pour comprendre que vous êtes entouré d'ombres encagoulées. Elles vous ont hissé sur l'échafaud, où vous êtes maintenant couché sur le bloc de bois qui en occupait le centre.

Le cercle des ombres se referme, et une main noire se pose sur votre visage. Vous avez le temps de voir briller la lame reluisante d'une dague, et même de pousser un dernier cri de terreur, avant d'être sacrifié sur l'autel de la nuit.

Et tandis que votre sang coule sur le bois sombre, votre conscience est aspirée dans un puits ténébreux, en route vers un monde où les lois de l'existence ne sont plus les mêmes, et où la mort n'est plus suffisante pour trouver le repos.

Votre vie humaine prend fin ici… mais non les tourments de votre âme.

57

Un à un, les tentacules s'enroulent autour de vos membres. Bientôt, ils sont si nombreux que vous n'arrivez plus à vous dégager. Vous luttez contre la créature obscure avec l'énergie du désespoir, mais sa propre force est considérable. Les « bras » mous de l'horreur noire vous attirent en direction du puits sombre, inexorablement, tandis que de nouveaux tentacules émergent de l'obscurité et viennent se lover autour de votre corps.

Avec un cri de terreur, vous êtes avalé par le trou ténébreux.

À partir du moment où vous entrez dans l'univers noir de l'entité lugubre, rien ne parvient plus à vos sens humains. Privé de la vue, de l'ouïe, et même du toucher, vous flottez dans le néant absolu, succombant lentement à la folie, tandis que d'innombrables formes noires s'agglutinent sur vous et consomment votre énergie vitale.

Lorsque tout sera terminé, votre corps ne sera plus qu'une enveloppe de peau parcheminée remplie d'ossements desséchés.

58

Pendant quelques minutes, vous marchez en observant la silhouette spectrale de l'Homme qui Marche. Il ne s'est jamais retourné une seule fois.

Est-il même conscient de votre présence ?

L'arme entre vos mains tremble légèrement. Comment le spectre réagirait-il si vous choisissiez, ici et maintenant, de le rejoindre en courant et de venger vos amis ?

Pendant un moment, l'idée de passer aux actes vous effleure l'esprit. Mais à ce moment même, un bruit furtif vous fait virevolter en sursautant.

À peine avez-vous tourné la tête que vous discernez, comme dans un rêve, une silhouette sombre qui s'enfonce dans la forêt. Votre cœur bat avec une telle véhémence que vous croyez l'entendre dans le silence de la nuit. Vous n'avez pas halluciné. Vous avez bien vu une silhouette humaine se fondre dans la pénombre du sous-bois, après avoir traversé la route à moins de cinq pas derrière vous.

Nerveusement, vous scrutez l'endroit où la figure a disparu. À tout moment, vous vous attendez à ce qu'elle surgisse, démon hideux et sanguinaire, et qu'elle vous entraîne en hurlant dans les ténèbres opaques qui règnent sous le feuillage.

Pourtant, rien ne bouge.

Les mains frémissantes, vous vous approchez du point où l'apparition s'est évanouie dans l'ombre. Vous remarquez alors une piste à peine discernable, une sente sombre qui se perd dans la forêt. C'est la preuve que vous n'avez pas été le jouet d'une illusion. S'il y a un sentier, il n'y a rien de surprenant à ce qu'il soit emprunté par quelqu'un… ou quelque chose.

Derrière vous, l'Homme qui Marche poursuit son avance imperturbable. À mesure qu'il s'éloigne, la pénombre raffermit son emprise sur les environs.

Si vous croyez avoir le courage de vous engager sur la petite piste, rendez-vous au **14**. Si vous croyez préférable de demeurer sur les traces du spectre de Valleyburg, ne serait-ce que pour profiter de sa lumière rassurante, rendez-vous au **41**.

59

Sans laisser prévoir votre geste, vous vous élancez en direction du tunnel. Si vous parvenez à franchir le mur invisible en sens inverse, vous serez de retour dans votre dimension temporelle et la bête ne pourra plus vous poursuivre. En revanche, si elle vous rattrape avant que vous ne soyez hors de sa portée, elle vous attaquera dans le dos en vous infligeant de terribles blessures.

Vous pourriez aisément en mourir.

Utilisez la Carte du Destin (0 = 16). Le nombre obtenu représente l'Avance que vous parvenez à prendre avant que la bête ne se lance à vos trousses. Calculez ensuite votre Rapidité en additionnant votre Habileté Naturelle et le *chiffre des dizaines* de votre total actuel d'Endurance. Calculez de la même façon un total de Rapidité pour la bête, en utilisant ses totaux d'Habileté et d'Endurance courants.

Pour revenir dans l'univers normal, vous devez distancer la bête. Pour cela, la somme de votre Avance et de votre Rapidité doit être supérieure ou égale à la Rapidité de la créature.

Si vous parvenez à fuir, vous pourrez revenir sur la corniche sans danger. Une fois sorti de l'espace intemporel de la caverne, vous pourrez vous remettre à suivre l'Homme qui Marche vers sa mystérieuse destination. Rendez-vous au **82**.

Mais si votre tentative échoue, vous serez sauvagement lacéré par les griffes de la créature et vous perdrez *25 points d'Endurance* avant de pouvoir reprendre le combat ! Cette Blessure Grave réduira votre Habileté de 2 points pour toute la durée de l'affrontement. Par ailleurs, une seconde tentative de fuite vous sera interdite.

Si vous luttez avec l'Épée du Soleil Blanc, ajoutez 2 points à votre Habileté de Combat ainsi qu'à vos points de Dommage supplémentaires, en raison de l'énergie inconnue et éternelle que l'arme mystérieuse puise dans ce lieu intemporel. N'oubliez pas de réduire les valeurs de combat de la créature si vous lui avez déjà infligé des blessures.

CRÉATURE LUMINESCENTE DES PROFONDEURS

Habileté 25 • Endurance 80 •
Dommages +3

Si vous émergez finalement vainqueur de la confrontation, malgré les blessures profondes que la créature a réussi à vous infliger, rendez-vous au **111**.

60

Un trait de feu blanc file vers la sphère toujours immobile sur le sol. Touchée de plein fouet, elle vole à travers la pièce et s'écrase sur le mur du fond. C'est à ce moment que l'explosion se produit : la sphère éclate dans une déflagration assourdissante, et la maisonnette s'embrase instantanément. Vous vous précipitez vers la porte, couvert de flammes et hurlant de douleur, mais il est déjà trop tard. Une seconde explosion secoue le sol et vous êtes littéralement englouti par une immense boule de feu. Une brève agonie met un terme à votre existence, tandis que pour la troisième et dernière fois, une déflagration retentit et pulvérise entièrement la maisonnette. Faut-il préciser que vous avez commis une erreur funeste en tirant sur la sphère ?…

61

Si vous vous battez avec un bâton ou avec un poignard, vous ne pouvez faire aucun mal à cette créature invraisemblable. Toutefois, vous pouvez recourir à un Anneau du Feu Solaire ou à une Baguette d'Anéantissement, si vous possédez l'une de ces armes. Leur puissance sera pleinement efficace contre l'entité ailée.

Vous pouvez également prendre la fuite à tout moment. Pour cela, il suffit que vous vous précipitiez vers la porte et que vous la claquiez derrière vous. Rendez-vous au **78** si vous êtes descendu à la cave, mais au **96** si vous êtes resté au rez-de-chaussée.

Mais si vous possédez l'Épée du Soleil Blanc, rien ne vous empêche d'affronter ce monstre d'un autre monde. Bien entendu, vous avez toujours la possibilité de fuir ou de recourir à un rayon d'énergie, mais si vous souhaitez livrer combat, saisissez l'épée flamboyante et préparez-vous à subir le premier assaut de l'oiseau aux ailes d'énergie !

LES AILES DU TEMPS

Habileté 24 • Endurance 25 •
Dommages +6

Si vous êtes vainqueur, tirez un nombre de
la Carte du Destin. S'il est compris entre
0 et 9, rendez-vous au **69**. S'il est compris
entre 10 et 15, rendez-vous au **11**.

62

Prenant l'une des pierres précieuses que
vous avez trouvées, vous la tenez à la
main, bien en vue de l'être hurlant. Puis
vous la lancez de toutes vos forces derrière
lui.

La bête ne bouge pas.

Pourtant, elle a bien vu la pierre. Ou bien la gemme n'a aucune valeur pour elle, ou bien elle a décidé qu'elle préférait un mets de chair humaine. D'une façon comme de l'autre, vous venez de perdre votre pierre précieuse et vous devez toujours faire face à l'être infernal. Celui-ci n'a toujours pas bougé, mais il vous fixe maintenant d'un regard inquiétant.

Subitement, il passe à l'attaque.

Ce démon est d'une rapidité… démoniaque, et vous comprenez vite qu'il sera inutile de vouloir lui échapper. L'idée de lancer un joyau pour le distraire n'était pas géniale, vous devez maintenant l'admettre. Par conséquent, il ne vous reste plus qu'à livrer combat.

ÊTRE HURLANT

Habileté 24 • Endurance 48 •
Dommages +2

Si vous êtes blessé trois fois de suite par la terrifiante entité, elle vous aura immobilisé sous son poids imposant. Elle plongera alors ses crocs dans votre nuque, mettant une fin tragique à votre aventure — sans parler de votre vie. En revanche, si vous réchappez de cet affrontement sanglant, rendez-vous au **113**.

63

Courant à toute allure, vous continuez à suivre la route, dans la direction que l'Homme qui Marche a probablement empruntée. Au-delà d'un tournant inattendu, une très longue ligne droite s'offre à vous — un chemin rectiligne sur lequel aucun être luminescent n'est visible, ni de près, ni de loin.

Alors que vous fixez bêtement la route déserte, perplexe et inquiet, un monstre horrible jaillit du sous-bois devant vous, vous faisant d'abord sursauter, puis hurler de terreur.

Vous faites face à une bête hideuse à la peau noire comme du charbon, à la figure aussi démoniaque que pourrait l'être celle du Malin. Des dents longues de dix centimètres émergent de sa gueule, et ses yeux flamboyants, fendus verticalement par des pupilles rougeoyantes, vous fixent avec cruauté. Par-dessus le marché, cette créature abominable ne cesse de pousser de terribles hurlements grinçants.

Si vous avez lu un parchemin, vous savez comment vous débarrasser de cet Être Hurlant. Si vous êtes en mesure de le

faire, vous savez également à quel paragraphe vous rendre.

   Par contre, si vous ne savez pas comment
écarter le danger, il faudra que vous vous
mesuriez à la créature, car ses intentions
meurtrières ne sont que trop claires.

   Si vous souhaitez tenter d'échapper
au combat en faisant usage de l'une de
vos trouvailles, qui doivent être assez
nombreuses à présent, rendez-vous au **75**.
Sinon, rendez-vous au **84**.

64

Tandis que vous vous demandez quel peut
être le « secret extraordinaire » de l'Homme
qui Marche, l'homme se lève et s'approche
de vous. Il tient à la main deux objets insolites : un bâtonnet de verre et un étrange
pendentif.

   — Mon nom est Xaaxi, dit-il soudain.
Quel est le tien ?

   — Jamie, répondez-vous, toujours un
peu méfiant.

   Xaaxi sourit.

   — Eh bien, Jamie, ces deux objets pourront t'être utiles si tu souhaites suivre
l'Intemporel jusqu'au bout.

Ce disant, Xaaxi vous tend le bâtonnet et le pendentif. Vous remarquez que la baguette de verre contient trois billes lumineuses, aussi commencez-vous à comprendre où Xaaxi veut en venir. Ce dernier confirme bientôt vos soupçons :

— C'est une Baguette d'Anéantissement. Cela sert à… enfin, à se sortir de mauvaises situations. Vois-tu, il suffit d'exercer une pression sur cette extrémité-ci de la tige pour projeter l'une des billes d'énergie. Au contact de l'air, elle s'enflammera et filera vers la cible voulue. Je t'avertis : cette arme est très, très dangereuse, et peut tuer ou blesser sévèrement, les adversaires les plus coriaces. Sers-t'en sans hésitation pour exterminer les chiens, mais ne l'emploie pas contre un homme, à moins que ses intentions à ton égard ne soient clairement meurtrières. Par ailleurs, fais attention : les billes de feu ont tendance à tracer des spirales, ce qui peut te faire manquer ta cible. Il y a une technique du poignet pour éviter cela, mais il te faudra de la pratique, et puisqu'il n'y a que trois billes… ne les gaspille pas.

Vous aurez sûrement l'occasion de constater par vous-même les propriétés destructrices impressionnantes de cette baguette. Lorsque vous souhaiterez vous en servir, tirez 2 nombres de la Carte du Destin et additionnez-les. La somme doit être inférieure ou égale à votre Habileté Naturelle ; si elle est supérieure à ce total, vous aurez raté la cible. Si vous touchez votre adversaire, tirez un troisième nombre (0 = 16), doublez-le et ajoutez 4 points. Tel est le nombre de points de Dommage que subira l'ennemi. S'il s'agit d'une Blessure Grave, n'oubliez pas de réduire en conséquence son total d'Habileté.

Vous glissez le redoutable bâtonnet à votre ceinture et examinez le pendentif. Curieusement, vous comprenez la signification des symboles inconnus gravés sur l'une de ses faces. Quelqu'un y a inscrit ces quelques mots : « *La Lumière t'y amènera ; Laisse-la marcher pour toi* ». Sur l'autre face est gravé un mystérieux paysage : un arbre, un océan, et dans le ciel… quatre soleils.

Perplexe, vous montrez l'objet à Xaaxi.

— Et ceci ?

— Aucune importance… pour l'instant. Mais un jour, peut-être découvriras-tu ce lieu. Et alors, n'oublie pas : *laisse la lumière marcher pour toi.*

Vous aimeriez lui demander comment vous arriverez quelque part où brillent quatre soleils, mais Xaaxi ne vous laisse pas le temps de poser la question. Il lève la main, et vous ressentez aussitôt un malaise. Cette impression s'accentue rapidement, et tandis que vous plongez dans un immense vide lumineux, vous entendez vaguement la voix de Xaaxi :

— L'Intemporel t'attend, Jamie. Bonne chance !

Lorsque vous reprenez connaissance, vous êtes couché sur le sol, au beau milieu de la route suivie par l'Homme qui Marche. Le spectre lui-même est debout à peu de distance devant vous, les mains posées sur un globe phosphorescent.

Grâce à Xaaxi, vous venez de rattraper le temps perdu.

Prenez le temps de lui adresser un remerciement silencieux, ensuite inscrivez la Baguette d'Anéantissement et le Pendentif de Xaaxi sur votre Feuille d'Aventure.

Autour de vous, vous apercevez les quatre maisonnettes que Xaaxi a mentionnées. Cette petite agglomération n'a jamais existé dans les environs de Valleyburg. Par conséquent, l'Homme qui Marche — ou l'Intemporel, puisque tel est son nom — doit réellement avoir provoqué leur apparition en venant sur Terre.

L'être lumineux ne semble pas vous avoir aperçu. Qu'allez-vous faire ?

- Entrer dans la première maison à gauche du chemin ? Rendez-vous au **43**.

- Entrer plutôt dans la deuxième maison à gauche ? Rendez-vous au **51**.

- Explorer la première maison à droite du chemin ? Rendez-vous au **15**.

- Explorer plutôt la deuxième maison à droite ? Rendez-vous au **70**.

Si vous souhaitez demeurer là où vous êtes et attendre que l'Homme qui Marche ait fini d'absorber l'énergie contenue dans son globe de lumière, rendez-vous au **103**, mais sachez que vous n'aurez plus l'occasion d'entrer dans les maisons par la suite.

65

En courant le plus vite possible, vous tentez désespérément de rejoindre l'homme phosphorescent. Vous n'arrivez pas à comprendre comment il a pris une telle avance ; après tout, votre combat contre le Chien des Ténèbres n'a pas duré une heure !

Peu à peu, vous comprenez que vous devez être sur une fausse piste. L'Homme qui Marche a dû suivre la route, et vous le poursuivez dans la mauvaise direction !

À cet instant précis, vous apercevez une maison sur la gauche du sentier, illuminée par des globes de cristal suspendus à des chaînes.

Incrédule, vous observez la sinistre habitation en silence. Cette demeure doit avoir été suscitée d'un autre monde par l'apparition de l'Homme qui Marche, exactement comme les chiens maudits, car vous savez qu'il n'y a pas de maisons isolées en pleine forêt dans les environs de Valleyburg. Vous voilà donc confronté à un dilemme, et Dieu sait que vous n'avez pas la moindre seconde à perdre ! Votre situation est précaire, et c'est le moins qu'on puisse en dire.

Si vous souhaitez pénétrer dans cette mystérieuse demeure d'un autre temps, rendez-vous au **3**. Si vous préférez continuer à poursuivre l'Homme qui Marche, qui semble véritablement avoir disparu, rendez-vous au **29**.

Cependant, si vous jugez être définitivement sur la mauvaise piste, vous avez encore le temps, en vous dépêchant, de revenir à la route et de la suivre. Si vous décidez de rester ici et d'y faire quoi que ce soit, cette option ne vous sera plus offerte. Par conséquent, si vous souhaitez revenir immédiatement à la bifurcation, faites-le en courant, et ensuite, élancez-vous le long de la route de terre en vous rendant au **115**.

66

La route de terre ne cesse de grimper. À toutes fins pratiques, vous avez maintenant la preuve définitive que l'Homme qui Marche compte la suivre jusqu'au bout — à moins qu'une autre bifurcation n'apparaisse.

L'ascension est assez pénible par intervalle, non parce que la pente est terriblement inclinée, mais parce qu'elle semble se prolonger indéfiniment.

Vous vous consolez en songeant qu'il sera d'autant plus facile de redescendre.

Quand la route finit par traverser une clairière — bien naturelle, celle-là — vous constatez que vous avez fait beaucoup de progrès. Sur votre gauche comme sur votre droite, la forêt gravit les flancs d'une paire de sommets boisés : les deux monts, bien visibles de Valleyburg, qui encadrent le sommet lumineux où l'Homme qui Marche se rend… peut-être.

Par conséquent, vous continuez à avancer à la suite du spectre.

Vous n'avez qu'une inquiétude en tête : combien de créatures monstrueuses, combien de périls mortels faudra-t-il que vous affrontiez encore, avant de parvenir à la destination mystérieuse de l'Homme qui Marche ?

Comme si ces préoccupations n'étaient pas suffisantes, la nuit touche à sa fin. Dans quelques heures, le soleil poindra et l'on se mettra à votre recherche. Vos espoirs crouleront alors tel un misérable château de cartes. Comment vivrez-vous une vie heureuse à Valleyburg, avec la mort de vos meilleurs amis sur la conscience ?

Non… Il *faut* que vous mettiez le promeneur fantomatique hors d'état de nuire !

Tirez un nombre de la Carte du Destin.

Si vous obtenez	0	1	2	3	4	5	6	7	8	9	10	11	12	13	14	15
Rendez-vous au				**58**						**19**					**92**	

67

Lorsque vous rattrapez, cette fois encore, le spectre de Valleyburg, il s'engage tranquillement sur une corniche. Vous demeurez alors stupéfait — car sur votre gauche, il y a maintenant un précipice insondable. Jamais n'avez-vous entendu parler d'un ravin dans la chaîne montagneuse qui entoure Valleyburg. Faut-il en conclure que le gouffre, comme tout le reste, n'existe que le temps d'une nuit ?

C'est presque invraisemblable, mais c'est pourtant la seule explication.

Et ce n'est pas tout — car si un abîme s'ouvre sur votre gauche, sur votre droite se dresse une falaise qui s'élève jusqu'à une hauteur vertigineuse.

Cette muraille, bien plus que le gouffre, représente une véritable impossibilité. Si elle se hissait réellement jusqu'au ciel, vous l'auriez immanquablement aperçue d'en bas, dans la vallée. En toute franchise, on la verrait de Valleyburg, même en pleine nuit.

Une fois de plus, vous renoncez à justifier logiquement ce phénomène. Peut-être découvrirez-vous la solution à toutes ces énigmes à l'endroit où se rend l'Homme qui Marche.

Avouons que vous êtes en droit de l'espérer.

Par conséquent, c'est entre ciel et terre que se poursuit la filature. Afin de ne pas succomber au vertige, vous essayez de ne pas laisser votre regard errer sur la gauche. Par endroits, le sentier n'a plus que soixante centimètres de largeur. Un seul mauvais pas, et les conséquences pourraient être funestes. Néanmoins, le vide obscur vous fascine, et vous ne pouvez vous empêcher d'y jeter un coup d'œil occasionnel.

Tout à coup, une lumière s'allume dans l'obscurité surnaturelle qui tapisse le fond du ravin — et un trait de feu, striant la nuit, vient frapper la falaise au-dessus de votre tête.

Rendez-vous au **31**.

68

Sans hésiter, vous levez votre arme et vous vous précipitez sur l'homme. Celui-ci perd subitement son immobilité et évite votre coup en plongeant de côté. Tenant à profiter de l'effet de surprise, vous passez de nouveau à l'attaque, mais votre adversaire glisse une main sous la table derrière laquelle il était assis. Lorsqu'il l'en retire, elle est armée d'un bâtonnet transparent dans lequel on peut apercevoir trois petites billes lumineuses.

Ignorant ce qu'il compte en faire, mais tout de même soucieux, vous brandissez votre arme et tentez de lui arracher la tige insolite des mains. Cette fois cependant, c'est lui qui est le plus rapide. Quand il pointe une extrémité du bâtonnet vers vous, vous comprenez brusquement la nature de cet objet inédit.

Trop tard.

Avec des plaintes stridentes, les billes de lumière filent vers vous et vous atteignent en pleine poitrine. Vous hurlez de souffrance sous l'intense douleur provoquée par les projectiles fulgurants, puis vous perdez brusquement connaissance.

Vous ne retrouverez jamais l'Homme qui Marche, et vous n'aurez jamais l'occasion de venger vos amis. En revanche, vous aurez l'occasion de les rejoindre.

Lorsque les maléfices de la nuit succomberont au lever du jour, on se mettra à votre recherche. Votre corps sera retrouvé au milieu du bois, le thorax transformé en plaie sanguinolente. À Valleyburg, on se demandera encore longtemps ce qui a bien pu vous arriver, car la maison et la piste n'existeront plus. Elles seront retournées au néant, ayant emmené votre vie avec elles.

69

Lorsque vous assénez le coup fatal au formidable oiseau de feu, il perd toute luminescence, s'éteint comme une chandelle dans le vent et plonge directement vers le sol. Comme dans un rêve, vous croyez voir le quadrillage lumineux réapparaître autour de la créature infernale, puis l'oiseau s'écrase et se volatilise dans une explosion extraordinaire.

Cette fois encore, il n'y a pas le moindre fragment incandescent. L'entité n'est plus qu'énergie pure. Mais cette énergie est différente, beaucoup plus destructrice, de celle qui fut libérée par l'éclatement de la sphère lumineuse.

Des flammes jaillissent du sol, courent sur les murs — et en un instant, la maisonnette toute entière flambe comme une immense torche. Momentanément épargné par le feu roulant, vous cherchez désespérément l'issue de cette grande pièce. Fort heureusement, la fumée n'a pas encore envahi les lieux et vous pouvez encore vous orienter entre les flammes ronflantes.

Mû par l'énergie du désespoir, vous courez vers la porte extérieure, que vous défoncez d'un coup d'épaule sans prendre le temps de ralentir. Basculant dans l'herbe à l'extérieur, vous roulez frénétiquement sur vous-même pour éteindre les flammes qui s'accrochent à vous. Cette mésaventure vous aura coûté, en points d'Endurance, la moitié d'un chiffre de la Carte du Destin (arrondissez à l'entier inférieur). Évidemment, si vous obtenez 0 ou 1, c'est que vous avez réussi, miraculeusement, à vous en tirer indemne.

Vous vous éloignez rapidement de la maisonnette en flammes, pour constater avec ahurissement que le feu est invisible de l'extérieur. L'intérieur de la maison-nette brûle toujours violemment, comme vous pouvez le voir par la porte restée ouverte, mais si cette porte était refermée, il serait impossible de soupçonner la présence de la moindre flammèche.

Un autre prodige de la nuit maléfique, condamné à demeurer sans explication.

Rendez-vous au **78**.

70

La porte s'ouvre facilement, et vous péné-trez prudemment dans une vaste pièce vivement éclairée. En fait, vous devez momentanément fermer les yeux pour vous habituer à l'intense lumière ambiante, car votre vision s'était habituée à la nuit extérieure.

La clarté insoutenable provient d'une sphère lumineuse, posée sur le sol au milieu de la pièce. Maintenant que vos yeux peuvent s'ouvrir sans larmoyer, vous étudiez la salle avec perplexité. Hormis la sphère, cette pièce est complètement vide.

Naturellement, vous accordez toute votre attention à la boule lumineuse. Que fait-elle là ? Quelle est son utilité ? Il est peu probable qu'elle serve uniquement à éclairer une salle vide.

À ce moment, vous remarquez une trappe levée dans le coin gauche. Elle révèle un escalier plongeant dans les profondeurs de la terre. Une idée absurde vous vient alors à l'esprit. Normalement, vous l'auriez rejetée immédiatement, mais vous avez été témoin de tant d'absurdités, en cette nuit sinistre, que vous êtes disposé à considérer sérieusement toute hypothèse.

Et si la sphère était posée là dans le but de défendre l'accès à la cave ?

Au fond, cela ne serait pas si étonnant, au vu de tous les maléfices bizarres qui se sont déjà manifestés au cours de la Nuit Temporelle.

Vous devez prendre une décision. Si vous souhaitez :

- Quitter cette maison immédiatement. Rendez-vous au **96**.

- Vous approcher prudemment de la sphère. Rendez-vous au **36**.

- Descendre les escaliers. Rendez-vous au **108**.

- Tirer sur la sphère avec une arme à rayons d'énergie. Rendez-vous au **60**.

- Frapper la sphère avec l'Épée du Soleil Blanc. Rendez-vous au **4**.

71

Au moment où vous portez le coup ultime à l'apparition sombre, votre arme ne frappe que la substance molle et flasque de la robe noire. Comme si brusquement, il ne restait plus rien en dessous, la robe s'affaisse à la manière d'un drap obscur, recouvrant une région vaguement circulaire de l'échafaud.

Sur les marches, chacun des spectres s'évanouit de la même façon.

Avec frayeur et incompréhension, vous voyez toutes les robes noires, désormais vides d'occupants, flotter vaguement dans la brise avant de se déposer par terre.

Sur la plate-forme silencieuse, il ne reste que la dague reluisante, plantée dans le bois, là où le spectre l'a laissée tomber. D'une main tremblante, vous ramassez l'arme. Hormis le rubis qui orne son pommeau, elle n'a aucune caractéristique exceptionnelle. Elle a toutefois une lame longue et dentelée, ce qui en fera une arme redoutable si vous choisissez de la conserver.

Inscrivez la Dague du Sacrifice sur votre Feuille d'Aventure si vous souhaitez la garder. Maniée en combat, elle vous fera bénéficier de 3 points d'Habileté additionnels et infligera 4 points de Dommage supplémentaires.

Un long frisson descend le long de votre échine. Seul au milieu d'une marée de robes vides, vous sentez la peur vous prendre aux entrailles.

Le plus rapidement possible, vous descendez les marches de l'échafaud et vous courez en direction de la forêt. Vous n'arrivez plus à retrouver l'étroit sentier qui vous a mené ici, mais vous savez que la route n'est guère éloignée. Même en traversant le sous-bois à l'aveuglette, vous devriez la retrouver en quelques minutes.

Après un dernier regard inquiet en arrière, vous disparaissez dans la forêt.

Pour une fois, les maléfices de la Nuit Temporelle vous laissent tranquille. Vous émergez du bois et revenez sur le chemin de terre sans avoir été agressé ou menacé. En revanche, l'Homme qui Marche a complètement disparu.

Faisant fi de la douleur de vos blessures, vous vous mettez à courir à toute vitesse le long de la route de terre. Rendez-vous au **90**.

72

Subitement, quelque chose jaillit du sous-bois — et vous avez tout juste le temps de vous dérober pour ne pas être renversé par la masse noire qui plonge sur vous.

Lorsque vous reconnaissez votre agresseur, vous sentez immédiatement vos jambes ramollir. Deux yeux de feu rouge viennent de s'allumer dans l'obscurité, révélant sans équivoque l'identité de la créature. Vous avez affaire à un autre monstre de la nuit, un horrible chien-loup semblable à ceux qui sont responsables de la mort de vos amis.

La créature a l'intention d'achever la besogne en vous faisant subir le même sort. Puisque l'idée de finir égorgé par un monstre de l'enfer ne vous séduit guère, vous saisissez votre arme. Vous allez devoir vous battre jusqu'à ce que mort s'ensuive.

CHIEN DES TÉNÈBRES

Habileté 16 • Endurance 50 •
Dommages +1

Si vous parvenez à tuer la créature de la nuit, vous pouvez vous remettre à courir pour rattraper l'Homme qui Marche, qui a réussi à vous distancer à nouveau. Cette fois cependant, il n'y aura pas de bifurcation pour venir jeter la confusion. Même si le combat a été long à cause de nombreux assauts, vous rejoindrez le promeneur luminescent sans difficulté.

Rendez-vous au **67**.

73

Si vous survivez à la nuit, vous savez que vous n'irez jamais raconter cela. « Un tueur chauve m'a attaqué ! Il tirait des flèches de verre, mais je lui ai échappé ! »

Personne ne vous croirait.

Mais avant de faire quoi que ce soit, il faut justement que vous lui échappiez, et cela n'aura rien d'évident. Car l'homme passe déjà à l'attaque, et vous devez maintenant vous battre.

Fort heureusement, même s'il sait se servir d'un arc, il ne peut l'employer au corps à corps. Par ailleurs, il ne possède aucune autre arme. Il s'empare donc d'une flèche à la pointe de verre et s'efforce de vous la planter dans la gorge.

Si vous désirez prendre la fuite devant votre adversaire cruel, rendez-vous au **24**.

TUEUR AUX FLÈCHES DE VERRE

Habileté 18 • Endurance 65 •
Dommages +1

Si vous menez le combat à son terme, et si vous en sortez vainqueur, le tueur chauve s'écroule sur le sol. Vous reculez précipitamment, le cœur battant follement.

Mais vous n'êtes plus en danger : l'assassin est mort.

Si vous osez maintenant fouiller les dernières chambres, rendez-vous au **114**. Si vous préférez quitter cette maison au plus vite, rendez-vous au **96**.

74

Vous regardez disparaître vos amis dans l'obscurité, non sans pouvoir réprimer un léger frisson de frayeur. Vous voilà seul, à présent, pour lutter contre les maléfices engendrés par l'Homme qui Marche.

Pour ne pas vous laisser envahir par la peur, vous reprenez votre route. Cela ne vous empêche pas, malheureusement, de jeter constamment autour de vous des regards craintifs. Peut-être auriez-vous mieux fait de rester avec vos amis ?

Vous vous apprêtez à rebrousser chemin pour les rejoindre, quitte à perdre définitivement la trace de l'Homme qui Marche, quand un long hurlement éclate derrière vous. Cette fois, ce n'est pas le cri d'une bête aux yeux de feu rouge, mais quelque chose de plus horrible encore, quelque chose qui vous fait trembler de terreur.

Un cri d'agonie.

Figé par l'épouvante, vous prêtez l'oreille. Vous entendez les échos d'une bataille désespérée, puis un autre cri de détresse s'élève. Ensuite, plus rien.

Le silence s'est rétabli, oppressant, rempli de menaces cachées.

Le doute n'est plus permis. Là-bas, vos amis ont été attaqués, et probablement tués, par les créatures entrevues précédemment.

Quand la portée de cette réalisation vous apparaît pleinement, le chagrin et le découragement vous envahissent. C'est une folle entreprise dans laquelle vous vous êtes lancés. Vos amis, à trois, viennent d'être tués par les êtres diaboliques qui hantent la nuit. Comment espérez-vous, seul contre l'univers, armé d'un vulgaire bâton pointu, venir à bout de ces horreurs ? En persévérant malgré tout, vous signez vraisemblablement votre arrêt de mort.

Pourtant, que pouvez-vous faire, sinon persévérer ?

Plus que jamais, l'Homme qui Marche doit disparaître !

Vous serrez le bâton pour faire cesser les tremblements de vos mains. Qui sait, peut-être échapperez-vous aux créatures de la nuit si vous faites preuve d'un courage suffisant. Par ailleurs, après ce qui vient de se produire, vous n'osez plus abandonner. À Valleyburg, vous pourriez être tenu responsable de la mort de vos copains. Pis, vous ne pourriez jamais vivre avec la conscience tranquille, sachant que vous les avez entraînés dans la mort uniquement pour abandonner ensuite.

C'est pourquoi vos prochains pas vous poussent de l'avant.

Accablé par le chagrin, taraudé par la peur, mais déterminé à anéantir les maléfices de l'Homme qui Marche, vous n'apercevez même pas les yeux rouges qui viennent de s'allumer dans la nuit et qui vous épient sournoisement.

Sans avertissement, une forme noire plonge dans votre dos.

Tirez un nombre de la Carte du Destin. Si vous obtenez un chiffre compris entre 1 et 5 inclusivement, rendez-vous au **45**. Dans tous les autres cas, rendez-vous au **26**.

75

Un instinct secret vous avertit que cette créature est très redoutable et que vous avez intérêt à éviter le combat, surtout en sachant que l'Homme qui Marche est déjà loin. En fait, s'il faut l'avouer, ce n'est pas seulement l'instinct qui vous pousse à éviter l'affrontement : l'apparence physique de cette chose affreuse suffirait à décourager une troupe de guerriers.

Mais qu'allez-vous faire contre ce monstre abominable ?

Il n'y a que deux stratégies possibles. Vous pouvez essayer de le distraire ou de l'attaquer directement, à condition d'en avoir les moyens. Si vous voulez et pouvez :

- L'appâter avec une émeraude ou un diamant. Rendez-vous au **62**.

- Employer plutôt une perle jaune à cet effet. Rendez-vous au **2**.

- Utiliser les reflets d'un bracelet ou un cube de cristal bleu. Rendez-vous au **107**.

- Foudroyer le monstre à l'aide d'une Baguette d'Anéantissement. Rendez-vous au **37**.

- Tirer sur lui avec un Anneau du Feu Solaire. Rendez-vous au **97**.

- Faire face à la créature en combat singulier. Rendez-vous au **84**.

Si ces options vous sont toutes interdites ou si elles ne vous tentent guère, vous pouvez tenter de fuir en revenant sur vos pas afin d'emprunter le sentier. Tirez alors un chiffre de la Carte du Destin. Si vous obtenez un multiple de 4 — soit 0, 4, 8 ou 12 — vous avez beaucoup de chance : la créature renonce à vous poursuivre et vous revenez sain et sauf au croisement, où vous vous élancez le long du sentier. Rendez-vous au **28**. Mais si vous tirez un autre nombre, la bête vous poursuit en hurlant ! Rendez-vous au **20**.

76

Vous décidez de courir le risque et faites basculer le couvercle du coffre. À votre grand soulagement, aucun piège ne se déclenche. Vous examinez donc tranquille-ment le contenu du coffre phosphorescent.

Vous sursautez de joie en apercevant la merveilleuse épée lumineuse qui repose au fond de la malle, en compagnie de divers autres objets.

Sans qu'il soit possible d'en douter, l'arme luminescente provient du même univers que l'Homme qui Marche et les phénomènes de la Nuit Temporelle. Bien que vous l'ignoriez, elle est connue dans cet univers sous le nom de l'Épée du Soleil

Blanc, une appellation qui lui vient de ses propriétés extraordinaires. Lorsque vous la manierez dans un affrontement, l'épée à la lame de lumière vous fera bénéficier de 6 points d'Habileté additionnels et infligera 4 points de Dommage supplémentaires à chaque coup porté. Voilà donc une précieuse acquisition !

Le coffret contient aussi :

- Trois jolies émeraudes [3] ;
- Un bracelet de cristal bleu [24] ;
- Un sachet renfermant huit pilules rouges et un feuillet.

Vous avez la surprise de pouvoir lire les caractères — pourtant inconnus ! — inscrits à l'encre noire sur le feuillet. Sans que vous ne puissiez expliquer le phénomène, leur sens se révèle de lui-même à votre conscience. Le texte dit simplement : « *Pilules de force — Ne pas avaler en trop grandes quantités* ».

Si vous désirez avaler l'une de ces pastilles, rendez-vous au **99**.

Si vous préférez les garder, vous pouvez noter le numéro de ce paragraphe (**99**) afin de vous y rendre plus tard. N'oubliez pas, à ce moment, de mémoriser le numéro du paragraphe que vous serez en train de lire, afin de pouvoir y revenir.

Inscrivez sur votre Feuille d'Aventure les objets que vous désirez conserver, ainsi que leur mode de transport. N'oubliez pas l'Épée du Soleil Blanc. Ensuite, après avoir refermé le coffre, précipitez-vous à la poursuite de l'être lumineux, fort de vos nouvelles acquisitions.

Rendez-vous au **106**.

77

Vous approchez à pas comptés de la porte. Il n'y a aucun bruit de l'autre côté, mais il y a de la lumière, et vous avez instinctivement la certitude que la pièce au-delà de la porte est habitée par un être vivant. Décidément, vous n'avez pas fini de passer de péril en péril.

Lentement, usant de mille précautions, vous ouvrez la porte. Et ce pour confirmer qu'il y a effectivement un être vivant de l'autre côté.

Quelqu'un vous regarde fixement de ses yeux clairs.

Vous n'arrivez pas à réprimer un sursaut de frayeur. Vous faites face à un parfait inconnu, mais manifestement, cet inconnu vous attendait !

Si vous choisissez de claquer la porte et de fuir au plus vite cette maison, l'homme ne vous poursuivra pas. Une fois revenu au-dehors, sous les étoiles, vous pourrez vous remettre à courir afin de rattraper l'Homme qui Marche au plus vite. Rendez-vous au **29**.

Mais si vous préférez entrer tout de même dans la pièce, il faudra que vous adoptiez une stratégie face à l'inconnu. Laquelle ?

Si vous souhaitez menacer et attaquer l'homme aux yeux clairs avant qu'il n'ait pu agir contre vous, malgré tous les risques qu'une telle action comporte, rendez-vous au **68**. Si vous aimez mieux parler à l'homme, malgré la crainte légitime qu'il vous inspire, rendez-vous au **93**. Enfin, si vous préférez observer ses actions afin de réagir en conséquence, au risque d'être pris au dépourvu, rendez-vous au **87**.

78

Vous revenez au beau milieu de la route et regardez en direction de l'Homme qui Marche pour voir où il en est. À ce moment, vous tressaillez en remarquant que le globe sur lequel il posait les mains est devenu opaque et obscur.

Le promeneur lumineux lui-même a disparu.

Heureusement, il n'a pas eu le temps de vous distancer de beaucoup. Vous distinguez encore sa clarté blême, en quelque sorte plus intense qu'auparavant, qui disparaît progressivement dans le bois de l'autre côté de la clairière. Au-delà de l'éclaircie, la vallée cède la place aux premiers contreforts des montagnes qui entourent Valleyburg. La route de terre suivie par l'Homme qui Marche, la route du monde réel, traverse entièrement ces montagnes, mais quelque chose vous dit que la destination du spectre de Valleyburg n'est pas située de l'autre côté. Elle est ici, dans les montagnes elles-mêmes : le sommet phosphorescent.

D'ailleurs, vous pouvez l'apercevoir d'ici, surplombant la vallée, luisant de cette même luminosité mystérieuse qui nimbe l'Homme qui Marche.

Désormais, vous n'avez plus le temps d'explorer une autre maison. Vous devez impérativement poursuivre votre filature. Sans plus attendre, vous quittez la petite agglomération et courez le long de la route, sans cesser de vous demander quels mystères étranges auraient pu vous révéler les maisons que vous n'avez pas explorées.

Si vous voulez vous arrêter pour examiner de plus près le globe phosphorescent sur lequel l'Homme qui Marche a posé les mains, rendez-vous au **50**. Si vous jugez cela inutile, voire dangereux, vous n'avez plus qu'à entamer sans plus tarder la prochaine étape de votre filature, en vous rendant au **39**.

79

Pendant un instant, vous croyez parvenir sain et sauf au-delà du tournant, mais un bloc de pierre vient inopinément vous défoncer le crâne. Vous vous écroulez avec un long cri d'agonie, puis vous restez strictement immobile, privé de vie. Les autres quartiers de roc vous écrasent, puis vous êtes entraîné par l'avalanche dans les profondeurs du ravin. Dans quelques heures, avec le lever du jour, le gouffre disparaîtra. Vous resterez donc enfoui sous la terre, là où nulle âme qui vive ne vous retrouvera. C'est de cette façon tragique que se termine votre vie, et par la même occasion, votre filature de l'Homme qui Marche.

80

Lorsqu'il prend connaissance de vos intentions à son égard, l'Homme qui Marche fait volte-face et s'arrête à quelques pas de l'arche lumineuse. Vous comprenez qu'il cherche à s'enfuir et vous vous précipitez sur lui.

Tout à coup, il se retourne d'un bloc.

L'Homme qui Marche a l'aspect d'un humain ordinaire, abstraction faite de la luminescence irréelle qui le nimbe. Mais il dispose de pouvoirs fabuleux qui n'ont rien, eux, d'ordinaires. Ces pouvoirs seront ceux qu'il utilisera pour se défendre contre vos attaques au cours de ce combat.

Vous saisissez votre arme, prêt à livrer l'affrontement final de la Nuit Temporelle. L'Homme qui Marche avance à votre rencontre. Plus question de renoncer maintenant ! Vos amis d'enfance gisent morts, quelque part dans le bois, et cet être en est responsable. Il doit disparaître !

Pour vous, pour Michel, Nicolas et Christian, et pour tout Valleyburg — voici venu le moment d'accomplir votre destinée.

L'HOMME QUI MARCHE

Habileté 40 • Endurance 160 •
Dommages +5

Si vous parvenez à réduire l'Endurance de l'Homme qui Marche à 50 points ou moins ou si le combat se prolonge au-delà de 15 Assauts, cessez de vous battre et rendez-vous au **25**.

81

La lueur que vous avez aperçue n'était pas une illusion : il y a effectivement quelque chose qui s'approche. Et cela s'approche rapidement !

Lorsque vous comprenez de quoi il s'agit, vous frissonnez d'effroi.

Vous avez devant vous un nuage lumineux, qui bat comme un cœur et qui glisse doucement vers vous. Vous donnez un grand coup dans la forme imprécise, mais la substance vaporeuse se reforme derrière votre arme et la chose demeure parfaitement intacte. Un rire irréel monte dans la nuit et deux points de feu vert s'allument dans le nuage blanchâtre. Un double trait de lumière fuse à l'instant même et vous atteint au milieu du ventre.

Vous vous pliez en deux, ravagé par une vague intolérable de souffrance.

À travers un brouillard de larmes, vous comprenez que vous devez fuir, avant que cette abominable créature ne vous tue. Vous vous mettez à courir, mais vous êtes promptement cueilli par un autre rayon qui vous transperce le dos. Vous trébuchez, brûlé par une agonie horrible.

Lors du troisième tir, les rayons de la mort vous transpercent la poitrine de part en part. Toute lumière s'éteint dans vos yeux. Le nuage luminescent se dissipe, le rire lugubre s'éteint et vous demeurez seul, couché sur le sol dans la noirceur. La vie vous a quitté.

Vous n'avez plus à vous préoccuper de l'Homme qui Marche ou de ses mystères.

82

Vingt minutes après que vous l'ayez laissé derrière l'entrée de la caverne, l'Homme qui Marche, devant vous, s'engage sur un sentier bordé d'arbres. Vous restez immobile, figé par la stupeur. À gauche, il n'y a plus de précipice. À droite, il n'y a plus de falaise. Il n'y a plus qu'un sentier qui serpente entre les arbres de la forêt, grimpant abruptement en direction du sommet phosphorescent qui est désormais bien visible.

Atterré, vous tournez lentement la tête. Des arbres.

La falaise et le ravin ont cessé d'exister.

Vous osez à peine vous demander quelle sorcellerie est à l'œuvre. Il est impossible que ce soit le lever du jour, venu chasser les maléfices de la nuit, car l'Homme qui Marche est toujours là, avançant calmement vers sa destination maintenant toute proche.

Alors comment une pareille chose est-elle possible ?

Renonçant à vous expliquer ce nouveau prodige de la Nuit Temporelle, vous décidez de continuer la filature, tout en vous efforçant de garder vos distances afin de ne pas être repéré si près du but. Car le but, faut-il le préciser, est maintenant proche. Vous pouvez voir, à travers les fentes dans le feuillage, la vive lueur qui émane du sommet où se rend l'Homme qui Marche.

Plus rien ne devrait vous arrêter maintenant. Vous allez enfin savoir !

Pourtant, vous ne pouvez chasser de votre esprit un vague sentiment de malaise, tout comme si vous étiez menacé par un danger invisible.

Tout à coup, la menace se concrétise. Des billes de feu percent l'obscurité : les yeux rouges, annonciateurs de mort prochaine, des chiens d'enfer de la nuit maudite.

Jusqu'à présent, combien de ces créatures avez-vous exterminées ?

- Une seule ?
  Rendez-vous au **42**.

- Deux ?
  Rendez-vous au **119**.

- Trois ?
  Rendez-vous au **91**.

83

À pas lents, vous avancez dans le brouillard. Vous jetez constamment des regards inquiets derrière vous, secrète-ment convaincu que la porte va se refermer, voire disparaître complètement. Pourtant, elle demeure ouverte, et dans le rectangle rassurant qu'elle délimite, vous apercevez toujours la pièce vide et le redoutable puits sombre en son centre.

Rassemblant votre courage, vous com-mencez à longer l'allée de cèdres.

Le brouillard se meut autour de vos jambes, telle une lugubre entité grise. La nuit est froide, plus froide qu'elle ne l'était lorsque vous avez découvert les quatre maisons isolées en pleine nature. Vous ne pouvez réprimer des frissons réguliers.

Au bout de l'allée, une forme sombre se découpe graduellement.

Lorsque vous arrivez à sa hauteur, vous reconnaissez une large table en pierre, elle-même posée au centre d'un espace circulaire dallé de pierre grise. Un objet unique est posé sur la table. Prudemment, vous soulevez l'article inconnu et l'examinez.

Vous avez entre les mains un disque de jade percé d'un trou en son centre. Une longue chaînette argentée passe dans le trou, faisant de l'ensemble un curieux pendentif. Sur le pourtour du disque sont inscrits des caractères que vous n'avez jamais vus, mais dont le sens se révèle mystérieusement à votre conscience :

Au Nom de la Lumière, Ennemie de l'Ombre

Perplexe, vous étudiez l'objet entre vos mains. Si vous désirez passer ce Disque de Jade à votre cou, inscrivez-le sur votre Feuille d'Aventure.

De l'autre côté de la lourde table, l'allée de cèdres prend fin, mais la brume règne toujours sur un paysage lugubre. Des arbres sont parfois visibles dans la pénombre mouvante, silhouettes squelettiques nimbées de brume froide.

Si vous désirez vous aventurer dans cette zone inquiétante, rendez-vous au **105**.

Si vous préférez revenir sur vos pas immédiatement, rendez-vous au **27**.

84

Faisant courageusement face à la créature infernale qu'est l'être hurlant, vous attendez son attaque, l'arme à la main. La bête monstrueuse vous fixe toujours, sans bouger. Elle semble avoir été placée là dans le seul but de vous interdire le passage — dans le seul but de vous empêcher de continuer votre route dans cette direction.

Malgré tout, vous décidez de ne pas mettre cette hypothèse à l'épreuve. Il est temps d'effectuer une retraite stratégique.

Vous reculez d'un pas…

Malheureusement, vous ne vous en tirerez pas aussi facilement. La créature s'anime d'un seul coup et plonge sur vous, toutes griffes dehors. Il n'est plus question, à présent, d'éviter le combat. Vous allez devoir vaincre la créature ou être dévoré vif !

ÊTRE HURLANT

Habileté 24 • Endurance 48 •
Dommages +2

Si cette créature parvient à vous blesser trois fois de suite, elle aura réussi à vous immobiliser sous sa masse imposante. Elle refermera alors ses crocs sur votre nuque, broyant vos vertèbres et mettant une fin tragique à votre vie, en même temps qu'à cette aventure. En revanche, si vous sortez vivant de cet affrontement, rendez-vous au **113**.

85

Une surprise de taille vous attend au second étage de cette mystérieuse maison d'un autre temps. Tout d'abord, l'étage est deux fois plus vaste que le rez-de-chaussée. S'il était possible de s'en rendre compte de l'extérieur, ce phénomène inexplicable donnerait un aspect pour le moins bizarre à la maison. Mais ce n'est pas tout. En guise de meuble unique dans cette pièce immense, une table basse est disposée en son centre exact. Sur cette table reposent deux objets : une bouteille et un coffret.

La bouteille, transparente, paraît remplie de vapeur bleue qui tournoie constamment, comme douée d'une vie propre. Le coffret, lui, n'a aucune caractéristique particulière. Il est fait de bois, mais fermé par une serrure en fer.

Plusieurs choix s'offrent à vous, mais restez tout de même sur vos gardes. Qui sait quels pièges peuvent se dissimuler dans cette demeure d'un autre univers ?

Si vous décidez d'ouvrir le coffret, rendez-vous au **47**.

Si vous souhaitez plutôt déboucher la bouteille, rendez-vous au **5**.

Si ces objets ne vous inspirent guère confiance, vous pouvez les abandonner et revenir au premier étage. Là, vous pourrez vous diriger vers la porte du fond, celle sous laquelle filtre la lumière, en vous rendant au **77**. Ou vous pourrez quitter la maison et continuer à poursuivre l'Homme qui Marche, en vous rendant au **29**.

86

Tout en continuant votre route à la poursuite de l'Homme qui Marche, vous finissez par remarquer que la forêt s'éclaircit. Prudemment, vous laissez l'être phosphorescent prendre un peu d'avance. Peut-être est-il parvenu à sa destination ?

Vous entrez alors dans une vaste clairière, que la route traverse de part en part.

Vos sourcils se froncent immédiatement. Une clairière, ici ?

Il doit s'agir d'un nouveau maléfice de l'Homme qui Marche, car vous pouvez également apercevoir une petite agglomération de quatre maisons, et vous êtes certain, sans la moindre équivoque possible, *que ces habitations n'ont jamais existé.*

Quant à l'Homme qui Marche lui-même, il s'est arrêté au-delà des maisonnettes.

Il pose maintenant les mains sur un globe lumineux qui éclaire toute la nuit.

L'énigmatique promeneur reste immobile, les mains posées sur la sphère. Celle-ci, petit à petit, perd son intense luminosité.

Vous contemplez longtemps le spectacle incroyable. Vous seriez prêt à jurer que l'être phosphorescent est en train d'*absorber* la lumière du globe.

Et ces maisons — que font-elles ici ?

En toute franchise, la théorie de l'autre univers commence à devenir de plus en plus crédible.

Tout en réfléchissant à votre situation, que décidez-vous de faire ? Si vous souhaitez :

- Entrer dans la première maison à gauche de la route, rendez-vous au **43**.

- Aller explorer la deuxième maison du même côté, rendez-vous au **51**.

- Entrer plutôt dans la première maison à droite du chemin, rendez-vous au **15**.

- Ou encore, explorer la deuxième maison à droite, rendez-vous au **70**.

Si vous ne faites pas confiance à ces habitations d'un autre monde, ce qui serait compréhensible, vous pouvez aussi attendre et garder l'Homme qui Marche à l'œil, afin de ne pas le perdre de vue une nouvelle fois. Rendez-vous pour cela au **7**.

87

L'homme vous fixe impassiblement de ses yeux clairs, immuables.

— Bienvenue, dit-il enfin. Que fais-tu dans la forêt en cette nuit maudite ?

Vous êtes soulagé. L'homme, bien qu'il soit issu du même monde que tous les maléfices de l'Homme qui Marche, ne semble pas animé de mauvaises intentions. Seulement, vous vous sentez obligé de répondre à sa question.

Cependant, qu'allez-vous répondre ?

Vous ne souhaitez pas voir l'inconnu se retourner contre vous. Toutefois, puisque vous ignorez son identité, ainsi que la justification de sa présence, il est impossible de deviner comment il réagira à vos paroles.

Si vous souhaitez lui dire que vous suivez l'Homme qui Marche afin de percer à jour le secret de ses apparitions, sans ajouter rien de plus, rendez-vous au **53**.

Si vous préférez tout lui raconter depuis le début, et avouer que vous souhaitez non seulement connaître le secret de l'Homme qui Marche, mais aussi venger la mort de vos malheureux amis, rendez-vous au **8**.

Enfin, si vous ne faites pas entièrement confiance à cet homme, vous pouvez prétendre que vous vous êtes égaré dans le bois et que vous cherchez de l'aide pour échapper aux horreurs de la nuit ; rendez-vous pour cela au **101**.

88

Le rubis semble lourd, anormalement lourd, mais il diffuse une énergie réconfortante. Vous venez de vous emparer d'une pierre non seulement précieuse, mais dotée de pouvoirs mystérieux. En fait, l'étrange puissance de la pierre est difficilement attribuable à autre chose qu'à la magie… ou aux maléfices de la Nuit Temporelle.

Toutefois, s'il s'agit d'un autre produit de l'apparition de l'Homme qui Marche, il s'agit, cette fois, d'un produit bénéfique. Pour savoir quel sera l'effet, sur votre organisme, de l'énergie qui sommeille dans ce rubis d'un autre monde, tirez un chiffre de la Carte du Destin.

Si vous obtenez :

Zéro ou 1

La puissance de la pierre précieuse pénètre en vous et semble y demeurer. Les énergies mystérieuses vous confèrent 1 point d'Habileté Naturelle et vous permettent de récupérer 12 points d'Endurance. Quoiqu'il soit encore possible que vous perdiez cette nouvelle Endurance, le point d'Habileté vous est acquis de façon définitive.

2, 3 ou 4

Grâce aux énergies inconnues du rubis, vous pouvez ajouter 1 point à votre Habileté Naturelle, et cela de façon permanente.

De 5 à 12

La puissance du rubis vous confère un fort regain de vitalité. Doublez le nombre que vous venez de piger et ajoutez le résultat à votre total actuel d'Endurance, à condition que vous ne dépassiez pas votre Endurance Maximale.

13 ou plus

Malheureusement, les énergies de la pierre n'ont pas eu d'effet important sur votre corps. Néanmoins, vous pouvez ajouter 8 points à votre total actuel d'Endurance.

Maintenant que vous avez absorbé les énergies du rubis, son pouvoir semble disparaître. Lorsque vous le relâchez, il se met à tomber au ralenti, comme s'il essayait encore de résister à la gravité. Il se stabilise finalement à quelques centimètres du plancher.

Puisque cette pierre a manifestement épuisé son énergie, il serait inutile de vous en emparer de nouveau. Par contre, si vous ne l'avez pas déjà fait, vous pouvez prendre le diamant. Qui sait, peut-être renferme-t-il des énergies semblables à celles du rubis ?

Si vous voulez toucher le diamant, rendez-vous au **34**. Si vous préférez ne pas pousser la chance trop loin, vous pouvez abandonner les deux pierres flottantes et vous diriger vers l'une des extrémités de ce corridor infini. Rendez-vous pour cela au **54**.

Enfin, si vous aimez mieux ressortir, il faudra que vous franchissiez les treize portes en sens inverse avant de revenir à l'extérieur. Si tel est votre choix, revenez sur vos

L'Homme qui Marchait

pas et sortez de la maison en vous rendant au **96**.

89

Sans pouvoir réprimer entièrement votre nervosité, vous avancez à travers la clairière en direction de l'échafaud. Qui a bien pu le construire, et où sont passés ses architectes ?

Seul le silence de la nuit répond à vos questions.

Vous devinez, sans grande peine, que ce lieu n'existera plus au matin. Il appartient à la Nuit Temporelle, comme l'Homme qui Marche et les monstres qui l'accompagnent. C'est pourquoi vous ne tenez pas particulièrement à vous attarder ici. En revanche, vous êtes passablement intrigué par l'arme sertie d'un joyau rouge que vous avez cru apercevoir.

Prudemment, vous gravissez les degrés qui mènent au sommet de la plateforme. De ce nouveau point de vue, vous observez la clairière entière, silencieuse et déserte. Levant les yeux, vous apercevez même la lueur mystérieuse qui émane du prochain sommet montagneux.

La destination de l'Homme qui Marche.

Je ne dois pas traîner ici, songez-vous avec une brusque détermination.

Vous avancez prestement en direction de l'arme. Vous la reconnaissez maintenant sans difficulté : une dague longue et effilée, fichée verticalement dans un gros bloc rectangulaire de bois sombre. Un rubis est serti dans son pommeau ouvragé.

Tout à coup, la nuit vomit une silhouette noire.

L'apparition se manifeste sans avertissement, comme issue des ténèbres elles-mêmes. Revêtue d'une longue robe noire, elle ne laisse rien paraître de sa véritable identité. Sa main — ou plutôt, une ombre faisant office de main — se referme sur la dague.

La gorge comprimée par la frayeur, vous voyez la forme lugubre fondre sur vous.

Si vous possédez un Disque de Jade, rendez-vous au **98**.

Si cet objet n'est pas en votre possession, rendez-vous au **30**.

90

Refusant de céder à l'épuisement, vous courez à en perdre haleine. Vous êtes déterminé à rattraper, cette fois encore, le spectre de Valleyburg. Pourtant, vous ne pouvez réprimer votre angoisse. L'Homme qui Marche a dû prendre une avance respectable, et maintenant qu'il est si près du but, vous n'avez pas intérêt à perdre sa trace !

Vous foncez donc à toute allure sur le chemin ombragé, quand brusquement, vos pires craintes se concrétisent sous vos yeux.

Une bifurcation.

Sur la droite, la route contourne un mont, tandis que sur la gauche, le sentier qui s'en sépare monte directement vers le sommet. Vous avez donc le choix entre la route et le sentier : une chance sur deux, et nul indice pour vous aider. Même la montagne luminescente où l'Homme qui Marche semble vouloir se rendre n'est pas visible d'ici.

Vous n'avez pas le choix. Vous allez devoir deviner la bonne direction — et vite !

Si vous prenez la route, rendez-vous au **63**.

Si vous prenez le sentier, rendez-vous au **28**.

91

Le chien d'enfer saute immédiatement sur le sentier. Ses yeux flamboient dans l'obscurité, et vous devez faire un effort de volonté pour réprimer la panique qui monte en vous. Pour la quatrième fois, vous allez devoir vaincre l'un de ces horribles monstres, tandis que l'Homme qui Marche s'éloigne… s'éloigne…

CHIEN DES TÉNÈBRES

Habileté 18 • Endurance 52 •
Dommages +1

Si vous émergez victorieux de cet affrontement, rendez-vous au **32**.

92

Brusquement, tout s'anime autour de
vous. Un cri horrible éclate dans le sous-
bois. Au même moment, des branches
craquent et des bruits de pas précipités se
font entendre. Angoissé, vous saisissez
votre arme — et une forme noire surgit
furieusement du sous-bois.

Un homme !

L'inconnu brandit un couteau tran-
chant et plonge sur vous avec la ferme
intention de vous ouvrir la gorge. Vous
virevoltez juste à temps pour apercevoir la
silhouette sombre qui fond sur vous, ainsi
que la lame qui brille dans la lumière
lunaire. Aussitôt, avec un cri de terreur,
vous roulez au sol sous le poids de votre
agresseur.

Tirez un nombre de la Carte du Destin
(0=16) et ajoutez-le à votre Habileté de
Combat. Si vous obtenez :

28 ou moins
Malheureusement, vos réflexes ne sont pas
assez rapides pour sauver votre vie. Le

poignard vous transperce la gorge et vous mourez avec un râle d'agonie. Quelques instants plus tard, il ne reste au sol que votre corps ensanglanté : le dément a disparu, ayant complètement oublié le meurtre qu'il vient de commettre. C'est de cette façon tragique que s'achèvent votre vie et votre aventure.

De 29 à 34

Le poignard se plante dans votre épaule, vous arrachant un cri de douleur. Le sang coule abondamment et vous perdez 20 points d'Endurance. Il s'agit d'une Blessure Grave, ce qui vous oblige à réduire de 1 point votre total d'Habileté pour livrer le combat qui va suivre.

De 35 à 39

De justesse, vous évitez d'être poignardé en plein visage, mais vous recevez tout de même une vilaine coupure à la joue, ce qui vous coûte 4 points d'Endurance. Même si vous êtes encore en vie, vous n'êtes pas tiré d'affaire pour autant.

40 ou plus

L'homme dément plonge maladroitement son poignard dans la terre en essayant de vous égorger. Vous sortez donc indemne de ce premier assaut.

Si vous survivez à cette attaque sauvage, vous parvenez, grâce à un sursaut désespéré, à vous libérer de l'étreinte féroce de votre assaillant. Vous comprenez alors que vous avez affaire à un parfait inconnu, imbu d'une force diabolique qui le pousse à vouloir vous tuer. Vous allez devoir défendre votre vie, car le dément issu de la nuit ne vous laissera jamais prendre la fuite !

LE POSSÉDÉ

Habileté 21 • Endurance 50 •
Dommages +2

Si vous venez à bout de ce forcené, vous pouvez vous approprier son poignard. Dans un combat, cette arme vous procurera 3 points d'Habileté additionnels et infligera, bien entendu, 2 points de Dommage supplémentaires. Rendez-vous ensuite au **110**.

93

Fort heureusement, l'homme ne semble pas animé d'intentions hostiles à votre égard. Toutefois, il est aussi intrigué de vous trouver ici que vous l'êtes de le rencontrer dans cette maison.

Il est le premier à prendre la parole.

— Que fais-tu dans la forêt en cette nuit maudite ?

La simple politesse exige une réponse, mais qu'allez-vous dire ? Faites-vous confiance à cet homme que vous n'avez jamais vu auparavant ?

Si vous voulez lui dire que vous suivez l'Homme qui Marche afin de découvrir la raison pour laquelle il apparaît, sans rien ajouter de plus, rendez-vous au **53**.

Si vous souhaitez raconter tout ce qui vous est arrivé, et avouer que vous souhaitez non seulement élucider le secret de l'Homme qui Marche, mais aussi lui faire payer cher la mort de vos amis, rendez-vous au **8**.

Enfin, si vous aimez mieux prétendre que vous vous êtes égaré et que vous cherchez de l'aide pour échapper aux horreurs qui hantent la nuit, rendez-vous au **101**.

94

À un certain moment, vous constatez que le sentier se transforme en corniche. Vous cessez alors de marcher, sidéré. Là, sur votre gauche, à quelques pas du sentier, s'ouvre un précipice aux profondeurs insondables.

Jamais n'avez-vous entendu parler d'un ravin dans la chaîne montagneuse entourant Valleyburg. Par conséquent, malgré l'énormité de cette hypothèse, force vous est de conclure que ce gouffre, comme tout le reste, *n'existe que le temps d'une nuit*.

En fait, le gouffre n'est pas la seule chose qui soit digne de votre ahurissement.

Car si à gauche, il y a un précipice, à droite se dresse une falaise s'élevant jusqu'à des hauteurs qui pourraient être qualifiées de vertigineuses.

Vous secouez la tête, chassant votre hébétude de votre mieux. Encore une impossibilité de cet univers de fous. Si la falaise s'élevait vraiment si haut, vous l'auriez immanquablement aperçue d'en bas, dans la vallée. En fait, elle aurait été visible de Valleyburg. Un mur de pierre pareil ne se dissimule pas avec la même aisance relative que quatre maisonnettes mystérieuses.

Une illusion ? Improbable. La paroi de pierre est solide au toucher, tout comme la corniche, et il en est ainsi partout où vos mains et vos pieds peuvent se poser.

Vous renoncez finalement à vous expliquer ce nouveau phénomène. Peut-être découvrirez-vous la solution à cet amas d'énigmes à l'endroit où se rend l'Homme qui Marche. Du moins, vous êtes en droit de l'espérer.

Ainsi, c'est entre le ciel et le vide que vous reprenez votre filature.

À bien y songer, votre situation invraisemblable n'a pas que des mauvais côtés.

Ici, vous ne courez pas le risque d'être attaqué par un chien d'enfer, ni d'être victime
d'une autre abomination quadrupède. Le
seul danger est celui posé par l'étroitesse
du sentier lui-même. Par endroits, il ne fait
plus que cinquante centimètres de largeur.

Malgré tout, vous ne pouvez vous
empêcher de regarder constamment derrière
vous, comme si vous craigniez d'être vous-
même talonné de près. L'obscurité impé-
nétrable qui règne au fond du gouffre vous
fascine également, amenant les dangers du
vertige.

Tout à coup, un point de feu jaune
s'allume au cœur de la pénombre surnaturelle qui tapisse le fond du ravin. Dans
l'instant qui suit, une boule de feu strie la
nuit et vient frapper la paroi à plusieurs
dizaines de mètres au-dessus de votre tête.

Rendez-vous au **31**.

95

De toutes vos forces, vous essayez de
persuader vos amis qu'il serait inutile — et
risqué — de se séparer. Vous devez rester
ensemble pour avoir une chance de résister
aux horreurs de la nuit.

Christian, Michel et Nicolas demeurent indécis. Devriez-vous vous séparer en augmentant les risques d'être attaqués, mais avec la possibilité de revenir sains et saufs au village ? Ou continuer tout droit et courir encore plus de dangers, mais en conservant l'avantage du nombre ?

Malgré tous vos efforts, vous ne parviendrez pas à les rassurer tout à fait. L'enjeu est trop faible, les risques à courir trop grands. Utilisez la Carte du Destin pour obtenir un nombre, duquel dépendra votre force de persuasion. Si vous obtenez :

9 ou plus

Vous ne réussissez pas à convaincre vos amis. Ils succombent à la frayeur et vous quittent pour retourner à Valleyburg. Quant à vous, déterminé à surmonter vos craintes, vous vous entêtez à poursuivre l'Homme qui Marche. Rendez-vous au **74**.

8 ou moins

Vous avez persuadé vos trois copains de vous accompagner encore quelque temps, aussi longtemps qu'il n'arrivera rien. Rendez-vous au **49**.

96

*Si c'est la deuxième fois que vous parvenez à ce paragraphe, rendez-vous au **78**.*
Sinon, lisez ce qui suit.

Vous voici revenu dans la rue, devant les quatre maisons mystérieuses. Là-bas, l'Homme qui Marche a toujours les mains posées sur son globe de lumière, mais celui-ci semble moins brillant qu'auparavant. Ce globe représente sans doute une source d'énergie pour l'Homme qui Marche, car il paraît évident que le spectre de Valleyburg est en train d'absorber le contenu de la sphère lumineuse. Puisqu'il vous reste du temps avant que l'être fantomatique ne se remette en marche, qu'allez-vous faire ? Si vous souhaitez entrer dans une autre maison, vous pouvez choisir :

- La première à gauche, rendez-vous au **43**.

- La première à droite, rendez-vous au **15**.

- La deuxième à gauche, rendez-vous au **51**.

- La deuxième à droite, rendez-vous au **70**.

Si vous préférez ne plus courir de risques en pénétrant dans ces demeures maléfiques, vous pouvez attendre que l'Homme qui Marche ait fini de tergiverser, en vous rendant au **112**.

97

La petite bague bleue émet ses traits de feu avec une vivacité que l'Être Hurlant ne peut esquiver. Vous l'atteignez au mufle et au poitrail, et bien que chaque blessure soit superficielle, la douleur de plusieurs traits de feu ne peut aller qu'en s'intensifiant. Vous pouvez tirer jusqu'à 6 fois avant que la créature, folle de rage, ne vous saute à la gorge.

Calculez les points de Dommage que vous souhaitez — et pouvez — infliger, et réduisez ses totaux d'Endurance et d'Habileté en conséquence.

Ensuite, l'Être Hurlant furieux vous attaque sauvagement. Vous l'avez blessé et plus rien n'arrêtera sa charge féroce, sinon la mort. Vous ne pouvez plus fuir : la bête est presque sur vous et sa rapidité est démoniaque. Par conséquent, vous allez devoir livrer combat. Si vous le désirez, vous pouvez continuer à vous servir de l'Anneau du Feu Solaire, mais vous devez d'abord livrer un Assaut normalement contre le monstre sanguinaire.

ÊTRE HURLANT

Habileté 24 • Endurance 48 •
Dommages +2

Si la créature vous blesse trois fois de suite, elle réussira à vous immobiliser sous son poids. Elle plongera alors ses crocs dans votre nuque, mettant ainsi fin à votre aventure, sans parler de votre vie. Si vous émergez vainqueur du combat, rendez-vous au **113**.

98

Avec un cri étranglé, vous voyez l'apparition ténébreuse franchir la distance qui vous sépare d'elle, comme mue par une bourrasque surnaturelle. La dague s'enfonce dans votre poitrine — et passe à travers votre corps, sans vous blesser le moins du monde. L'ombre elle-même traverse votre flanc à la manière d'un spectre intangible.

Malgré le fait que vous ayez échappé à une mort sanglante, vous êtes envahi par une panique aveugle. Ce sentiment ne fait que s'intensifier lorsque vous apercevez, tout autour de l'échafaud, un rassemblement silencieux d'ombres identiques, chacune vêtue d'une longue robe noire à cagoule qui dissimule entièrement ses traits.

Pour autant que ces êtres aient des traits humains.

Le spectre qui manie la dague fait mine de vous agresser à nouveau. Sans attendre pour voir si sa seconde tentative échouera comme la première — au cas où elle serait couronnée de succès — vous vous précipitez vers les escaliers et dévalez des degrés deux à deux. Vous sautez dans l'herbe, l'arme au poing, et foncez désespérément dans les rangs des ombres rassemblées. Vous vous attendez pleinement à ce qu'elles essaient de s'interposer, aussi tracez-vous un large moulinet dans l'air devant elles. Toutefois, les spectres ne semblent pas appartenir à votre réalité. Ils ne peuvent vous toucher, et l'inverse est également vrai.

Emporté par votre élan, vous traversez purement et simplement leurs rangs.

Le cœur dans la gorge, vous prenez la fuite dans la forêt. Vous n'avez pas le temps de retrouver l'étroit sentier qui vous a mené ici, mais vous savez que la route n'est guère éloignée. Même en fonçant aveuglément à travers le sous-bois, vous devriez la retrouver en quelques minutes, pour autant que les maléfices de la Nuit Temporelle vous laissent tranquille.

Lorsque vous émergez du bois et retrouvez le chemin rassurant, vous cessez enfin de courir. Vous avez subi des écorchures en fuyant à travers les branches, ce qui vous a coûté 2 points d'Endurance. Pis encore, l'Homme qui Marche a disparu.

Faisant fi de la douleur et de la fatigue, vous vous mettez à courir à toute vitesse le long de la route de terre. Rendez-vous au **90**.

99

Intrigué, vous avalez l'une des pilules rouges, non sans ressentir une certaine trépidation. Heureusement, vous ne vous êtes pas empoisonné. Au contraire, vous vous sentez immédiatement revigoré. Votre fatigue se dissipe, et vous avez même l'impression que la douleur de vos blessures s'estompe doucement. Vous ignorez de quoi sont faits ces comprimés rouges, mais ceux qui restent pourraient se révéler très utiles. Ajoutez immédiatement 4 points à votre total d'Endurance. Inscrivez ensuite les pilules restantes sur votre Feuille d'Aventure. Chacune d'elles occupera 1 unité de volume et vous rendra 4 points d'Endurance quand vous l'avalerez. Elles sont si puissantes que vous pourrez même le faire en plein milieu d'un combat, si la situation commence à devenir désespérée. Toutefois, vous ne pourrez jamais en manger plus de dix dans une même journée, sous peine de subir des effets secondaires dangereux pouvant aller jusqu'à la perte de conscience. Revenez maintenant au paragraphe que vous lisiez.

100

Toujours le long de la même route, vous continuez désespérément à courir. Le temps passe, vous montez et descendez, mais vous commencez à craindre de ne jamais rattraper l'Homme qui Marche. Enfin, épuisé, vous vous arrêtez.

Le doute n'est plus permis : vous vous êtes trompé de direction. Ou peut-être, se sachant suivi de près, l'Homme qui Marche a-t-il trouvé le moyen de disparaître, de se soustraire à votre filature indésirable. Quelle que soit l'explication, les conséquences sont les mêmes : l'énigmatique fantôme phosphorescent vous a échappé, et vous avez désormais sur la conscience la mort inutile de vos trois meilleurs amis.

Dans une ultime tentative désespérée, vous essayez de revenir à la bifurcation afin de suivre le sentier, mais lorsque vous revenez enfin à l'endroit où il s'amorçait, vous constatez qu'il a complètement disparu. La nuit surnaturelle, qui lui avait donné naissance, l'a maintenant rendu au néant.

Que vous surviviez à la Nuit Temporelle ou non n'a plus d'importance en ce qui concerne cette aventure. Si vous survivez, vous vivrez des jours misérables à Valleyburg, et c'est dans le chagrin que s'achèvera votre filature. Sinon, vous serez tué par les créatures des ténèbres, et alors, plus rien n'aura d'importance pour vous.

De l'une ou l'autre façon, vous aurez malheureusement échoué dans votre quête.

101

— Je comprends, dit l'homme en hochant sagement la tête.

Puis, comme s'il ressentait le besoin de se justifier, il enchaîne :

— Ces horreurs, comme tu les appelles, sont provoquées par l'apparition de l'Intemporel, un être au secret fabuleux qui vient d'un univers différent du tien. Lui et une partie de cet univers — de mon univers — font leur apparition à chaque terizen, soit à tous les cinq ans. Durant cette nuit unique, alors que l'Intemporel marche vers la porte qui relie les deux mondes, cette région de l'espace devient le point d'intersection de deux univers complètement différents. Tout reviendra à la normale au lever du jour, mais si tu t'es perdu dans le bois, tu risques d'être tué par les créatures des Forces du Mal — les chiens noirs en particulier. Si je ne me trompe pas, tu viens du village dans la vallée ? Je vais t'y transporter. Ainsi tu pourras éviter les monstres de Gamorox qui hantent la Nuit Temporelle. Il serait dommage qu'un garçon de ton âge soit tué par ces démons d'un autre monde.

— Mais, protestez-vous, je…

Trop tard.

Incroyablement, les parois de la chambre s'estompent, et vous avez l'impression de tomber dans un tourbillon de lumière. Puis c'est l'obscurité.

Lorsque vous reprenez connaissance, vous êtes étendu au beau milieu de la route, couché dans la terre et le sable, entouré par les maisons familières de votre village natal. Vos derniers espoirs viennent de s'envoler. Manifestement, il n'est plus question de rattraper l'Homme qui Marche, à présent.

Vous songez à vos amis, qui gisent dans le bois à peu de distance d'ici, victimes innocentes d'une tentative vouée à l'échec. Et vous songez à l'homme dans la maison isolée, celui qui vient de vous transporter à Valleyburg.

Les Forces du Mal… Gamorox… *L'Intemporel* ?

Qu'a-t-il bien pu vouloir dire ?

Sans doute ne le saurez-vous jamais. Et dans cinq ans, quand l'Homme qui Marche fera une nouvelle apparition, vous le regarderez aller, le cœur gros, songeant à vos amis d'enfance, tout en rêvant à une énigme dont vous ne connaîtrez jamais la solution.

102

L'angoisse que vous inspire ce lieu est trop forte. Sans vous attarder dans les parages, vous rebroussez chemin le long de la piste qui vous a mené ici.

Toutefois, vous ne faites pas dix pas.

Une figure sombre avance à votre rencontre sur le sentier.

Vous n'avez aperçu qu'un peu de mouvement, mais vous savez déjà qu'une forme humaine marche silencieusement devant vous. Le cœur serré par la frayeur, vous vous écartez du sentier et demeurez accroupi dans les buissons. Peut-être avez-vous eu de la chance. Peut-être l'apparition lugubre n'a-t-elle pas remarqué votre présence.

Envahi par la peur, vous tentez d'épier la piste sans révéler votre visage.

Lorsque la figure sombre passe devant vous, vous tressaillez violemment. Vous ne saviez pas qu'elle était déjà si près de vous, ni qu'elle allait passer juste devant vos yeux. C'est un miracle si vous êtes parvenu à réprimer un cri d'effroi.

Mais votre sursaut vous a-t-il fait remarquer ?

Tirez un nombre de la Carte du Destin. Si vous obtenez 10 ou moins *ou si vous possédez un Disque de Jade*, rendez-vous au **17**. Dans tous les autres cas, rendez-vous au **56**.

103

Afin de ne pas vous faire bêtement repérer, vous vous accroupissez au bord du chemin, dans l'ombre, sans pour autant quitter l'Intemporel des yeux. Vos précautions sont toutefois superflues ; l'Homme qui Marche demeure immobile, les mains posées sur son globe phosphorescent. Il ne tourne jamais la tête.

Le spectacle auquel vous assistez alors est plutôt surprenant, même si vous vous y attendiez après avoir écouté les paroles de Xaaxi. À mesure que le temps passe, la luminosité du globe s'atténue, tandis que la clarté émise par le spectre de Valleyburg s'intensifie au même rythme.

Vraisemblablement, ce globe et les énergies inconnues qu'il renferme ne représentent pas, à eux seuls, le secret mystérieux de l'Intemporel. Vous savez également que cet endroit n'est pas sa destination finale. Toutefois, le mystère qui entoure le spectre de Valleyburg demeure presque entier. À bien y songer, vous auriez dû questionner Xaaxi davantage.

Cinq minutes passent en silence. La sphère devient progressivement opaque, tandis que l'Homme qui Marche brille d'une clarté plus vive que jamais. Il détache alors ses mains du globe et reprend sa marche en direction des montagnes proches.

Au-delà de la clairière, le chemin se hisse aux flancs des premières pentes. La vallée verdoyante cède sa place aux premiers contreforts des montagnes boisées.

Vous ressentez une pointe de regret en étudiant les silhouettes carrées des maisonnettes. Peut-être auriez-vous pu en explorer une ? Qui sait, peut-être aurait-elle pu vous apprendre quelque chose.

À présent, il est trop tard pour le faire. Vous devez vous remettre en route, sans quoi vous perdrez immanquablement la trace de l'Homme qui Marche.

Si vous souhaitez vous arrêter pour examiner le globe sur lequel il a posé les mains, rendez-vous au **50**. Si vous jugez cela inutile, voire dangereux, entamez sans plus tarder la prochaine étape de votre quête et rendez-vous au **39**.

104

Vous mettez toute la force qui vous reste dans un coup ultime et vous pulvérisez le crâne de la bête sauvage. Ses yeux de feu rouge s'éteignent brusquement, telles des chandelles soufflées au vent, et sa carcasse cesse immédiatement de bouger.

Un deuxième adversaire a mordu la poussière !

Tout en prenant le temps de vous remettre de ce combat effrayant, vous étudiez la situation. L'Homme qui Marche a encore réussi à vous distancer, et tout est à refaire. En outre, vous savez que d'autres créatures rôdent dans les environs, prêtes à venir vous égorger dès que vous ferez preuve d'un moment d'inattention.

Dès que vous vous sentez assez fort, vous reprenez la marche.

Une dizaine de minutes plus tard, la forêt s'éclaircit. Cette constatation vous paraît aussitôt curieuse. Vous ne saviez pas qu'il existait une clairière importante le long de cette route.

Lorsque vous remarquez les quatre maisons qui ont été bâties dans cette clairière — deux de chaque côté de la route — vous savez qu'il se passe quelque chose d'anormal.

Cette petite agglomération, vous en êtes certain, n'existait pas auparavant. Elle a donc été engendrée, comme les créatures de la nuit, par l'apparition de l'Homme qui Marche. Celui-ci se tient d'ailleurs immobile de l'autre côté de la clairière, les mains posées sur un globe lumineux. Le globe est lui-même posé sur un piédestal incongru.

Vous restez longtemps figé devant ce spectacle incroyable. Vous seriez prêt à jurer que l'Homme qui Marche absorbe l'énergie contenue dans le globe !

Plus la nuit progresse, plus vous êtes prêt à croire les hommes de Valleyburg qui prétendent qu'en cette nuit, un autre univers vient remplacer le vôtre.

Qu'allez-vous faire ? Explorer l'une des maisons, peut-être ?

Si tel est votre choix, vous pouvez pénétrer dans :

- La première à gauche du chemin ; rendez-vous au **43**.

- La deuxième à gauche du chemin ; rendez-vous au **51**.

- La première à droite de la route ; rendez-vous au **15**.

- La deuxième à droite de la route ; rendez-vous au **70**.

Si ces maisons ne vous intéressent pas ou si vous n'osez pas y entrer, ou encore, si c'est l'Homme qui Marche qui vous intéresse le plus, vous pouvez attendre et regarder ce qu'il fait. Rendez-vous pour cela au **7**.

105

Prenant votre courage à deux mains, vous avancez au-delà de la table de pierre, au-delà des derniers grands cèdres, et entrez dans un paysage de brume éternelle. Tout d'abord, vous n'y faites qu'une dizaine de pas, avant de virevolter pour vous assurer que le rectangle rassurant de la porte est toujours visible derrière vous. Puis, ayant fixé l'emplacement de la haie de cèdres dans votre mémoire, vous vous aventurez plus profondément dans le brouillard.

Le problème est que ce monde n'est pas le vôtre.

Lorsque vous décidez enfin de revenir sur vos pas, n'ayant découvert que d'innombrables végétaux pétrifiés dans une brume éternelle, vous comprenez enfin ce que cela signifie. En dehors de la réalité concrète de Valleyburg et de ses environs, les lois euclidiennes de l'espace ne sont plus les mêmes. Vous avez beau chercher, avec une angoisse et une frustration de plus en plus prononcées, la voie qui revient vers la maison, il vous est désormais impossible de rebrousser chemin.

La table de pierre, l'allée de cèdres, la porte de la maisonnette — plus rien de cela n'existe dans le brouillard froid.

Plusieurs heures plus tard, accablé par le découragement, vous vous affaissez dans la brume. Vos espoirs se sont envolés. L'Homme qui Marche a eu tout le temps de disparaître. Et lorsque la Nuit Temporelle prendra fin, il n'est pas nécessairement certain que cette zone grise disparaîtra autour de vous, maintenant que vous appartenez à sa réalité.

Il ne vous reste plus qu'à espérer, avec toute l'angoisse du monde, que cet univers de brouillard ne soit pas devenu votre éternelle prison…

106

À mesure que le souffle vous manque, vous sentez l'inquiétude vous gagner. L'homme phosphorescent a-t-il pris une telle avance que vous ne pourrez plus jamais le rattraper ? Votre affrontement contre le Chien des Ténèbres vous a-t-il retardé à ce point ? Plus vous y songez, plus la peur d'avoir à renoncer vous tord l'estomac.

Soudain, vous cessez d'avancer. La sueur coule sur votre front. Fallait-il qu'une telle chose survienne maintenant ?

Droit devant vous, la route se sépare en deux.

En fait, la route elle-même continue tout droit, mais un sentier en terre battue part vers la gauche, s'enfonçant entre les arbres pour disparaître dans la noirceur.

Nulle trace de l'Homme qui Marche.

Vous faites donc face à un dilemme crucial. Allez-vous continuer tout droit ou emprunter le sentier ? En premier lieu, vous ne saviez même pas qu'il existait un tel sentier dans les parages. Vous n'êtes jamais venu jouer si loin de Valleyburg, mais vous savez, comme tous les villageois, qu'il n'y a qu'une seule route qui traverse les montagnes.

Cette bifurcation serait-elle une illusion, une sorte d'hallucination, un phénomène relié à l'apparition de l'Homme qui Marche ?

Votre choix sera décisif, et vous le savez. Si vous empruntez la mauvaise direction, vous perdrez la trace de l'Homme qui Marche et vos amis seront morts pour rien. Sans même parler du fait que votre vie à Valleyburg sera désormais fort malheureuse.

— Nuit maudite, murmurez-vous en vous engageant sur le chemin de votre choix.

Lequel ?

Si vous continuez à suivre la route de terre, dans l'espoir que l'entité l'ait suivie jusqu'au bout, rendez-vous au **115**. Si vous empruntez le sentier qui s'enfonce dans le bois, tout en songeant, pour vous rassurer, qu'il n'est sûrement pas apparu pour rien, rendez-vous au **65**.

107

Serrant l'objet de cristal bleu de toutes vos forces, vous le lancez violemment sur l'Être Hurlant. La créature réagit promptement, comme avertie par un instinct secret, mais il est trop tard. Votre cristal l'atteint à la tête et elle pousse un cri d'agonie. Un halo bleu pâle nimbe son corps — halo qui se précise subitement au moment où la créature s'écroule au sol, raide morte.

Vous avez vaincu l'Être Hurlant !

Stupéfait, vous vous approchez du corps. La créature est bel et bien morte, mais ce n'est pas en examinant l'objet que vous comprendrez ce qui l'a tuée. À vos yeux, c'est simplement une pièce de cristal bleu, et c'est l'apparence qu'elle aura toujours.

Cependant, dans le monde d'origine de l'Homme qui Marche, ce type de cristal bleu émet un rayonnement absolument inoffensif et parfaitement naturel. L'Être Hurlant, pour son malheur, avait le pouvoir d'absorber l'énergie de tout objet avec lequel il entrait en contact, et celle du cristal bleu lui était mortelle. Puisque vous lui avez lancé le cristal en plein front, vous l'avez bel et bien tué !

À présent, son corps commence à se dissoudre en dégageant une fumée immonde qui vous prend à la gorge. Vous vous éloignez du cadavre, encore tout étonné d'avoir vaincu un monstre pareil avec une telle facilité. Mais vous devez absolument vous ressaisir, car l'Homme qui Marche est désormais loin et vous devez le rattraper au plus vite.

Faites votre choix : il sera décisif.

Si vous continuez à suivre la route, rendez-vous au **100**. Si vous préférez revenir sur vos pas et emprunter le sentier, rendez-vous au **28**.

108

À votre grand soulagement, la sphère ne fait rien pour vous empêcher de descendre les escaliers. Elle n'était donc pas placée là dans le but de défendre l'accès au sous-sol, comme vous l'avez momentanément craint.

Mais alors, à quoi sert-elle ?

Vous ne le saurez peut-être jamais.

Les marches descendent interminable-ment vers un sous-sol hypothétique, vous faisant envisager la remontée avec appréhension. Enfin, au moment où vous vous apprêtez à abandonner afin de pouvoir remonter à temps, vous mettez le pied sur une surface plus molle que le bois des innom-brables degrés. Vous venez de pénétrer dans une petite pièce basse de plafond, au sol de terre meuble. Une salle creusée directe-ment dans les entrailles du sol.

Cet endroit ne semble rien receler, à l'exception, peut-être, d'un coffret posé sur le sol, au fond de la pièce souterraine. Si vous souhaitez ouvrir ce coffret, rendez-vous au **18**.

Si vous jugez cela trop dangereux, il ne vous reste plus qu'à entreprendre la remontée, puisque cette salle n'a pas d'autre issue.

Après une longue et épuisante ascen-sion qui vous endolorit les mollets et vous coûte 2 points d'Endurance, vous êtes enfin de retour au premier étage.

Qu'allez-vous y faire ?

Si vous désirez vous approcher de la sphère, afin d'en percer le secret une fois pour toutes, rendez-vous au **36**. Si vous souhaitez tirer sur elle un faisceau d'énergie, à condition de posséder un Anneau du Feu Solaire ou une Baguette d'Anéantissement, rendez-vous au **60**. Enfin, si vous préférez quitter cette maison sans plus tarder, rendez-vous au **78**.

109

Cette vapeur bleue qui se répand dans la pièce possède de puissantes propriétés fortifiantes. C'est très littéralement une vapeur de vie, un autre prodige de l'univers de la nuit, mais un prodige bénéfique celui-là. Dès que vous respirez — bien malgré vous — un peu de cette vapeur bleutée, vous ressentez une nouvelle puissance, une nouvelle force, qui se répand progressivement dans votre corps. Vous gagnez 1 point d'Habileté Naturelle (*de façon permanente*) et 15 points d'Endurance. Vous pouvez également augmenter de 2 points votre Total Maximum d'Endurance.

Malheureusement, la vapeur se dissipe rapidement et se fond dans l'air. Bientôt, il n'en reste plus la moindre trace.

Malgré la nouvelle énergie qui s'est immiscée en vous, vous vous sentez un peu déçu. Si vous aviez connu les propriétés extraordinaires de la vapeur bleue avant de la libérer, peut-être auriez-vous pu inspirer tout le contenu de la bouteille et vous retrouver assez fort pour vaincre toutes les horreurs de la nuit — et l'Homme qui Marche en prime.

Ces étranges événements vous font réfléchir à votre situation. Par la faute de l'Homme qui Marche, vous évoluez, non dans la paisible forêt entourant Valleyburg, mais dans un univers de sorcellerie, de prodiges mystérieux et de créatures mons-trueuses. Vous commencez à donner raison à ceux, au village, qui prétendent qu'un autre univers se substitue au vôtre durant la Nuit Temporelle.

En attendant d'élucider le mystère toujours aussi profond de l'Homme qui Marche, qu'allez-vous faire ? Si vous désirez maintenant ouvrir le coffret, rendez-vous au **47**. Sinon, vous allez devoir redescendre au premier étage.

Si tel est votre choix, vous revenez dans l'immense pièce, dénuée de tout meuble, qui couvre à elle seule la superficie de trois maisons semblables à celle-ci. Si vous souhaitez ouvrir la porte derrière laquelle filtre un rai de lumière, rendez-vous au **77**.

Si vous préférez quitter la maison, ayant décidé de reprendre la filature du marcheur luminescent, rendez-vous au **29**.

110

Blessé à mort, l'homme chancelle avant de s'écrouler au sol. Il demeure alors immobile. Vous reculez instinctivement, ne sachant que penser. Êtes-vous devenu un meurtrier ?

Le premier instant de panique passé, vous secouez la tête. Il ne s'agissait pas d'un homme de Valleyburg possédé par une créature de l'Au-delà. Vous avez eu affaire à un habitant de l'univers de l'Homme qui Marche, un meurtrier désaxé ayant reçu la mission de garder ses arrières. Vous en êtes certain, car s'il s'agissait d'un homme de Valleyburg, vous pourriez le reconnaître. Or, il s'avère que vous ne l'avez jamais vu de votre vie.

Rassuré sur ce point, vous abandonnez le cadavre du dément et reprenez votre filature.

Jusqu'à ce que vous réalisiez, une fois de plus, que l'Homme qui Marche a réussi à vous distancer dans les ténèbres.

Faisant fi de la douleur lancinante de vos blessures, vous vous mettez à courir à toute vitesse le long de la route de terre. Rendez-vous au **90**.

111

Lorsqu'il meurt, l'être luminescent perd toute luminosité — et se vaporise, exactement comme s'il n'avait jamais existé. De stupeur, vous ouvrez grand les yeux. Instinctivement, vous fouillez toute la grotte du regard, mais vous ne discernez aucune trace de l'existence de la créature. Votre adversaire monstrueux a réellement disparu.

Un autre mystère à l'actif de l'Homme qui Marche ?

Sachant que vous disposez de tout votre temps au fond de cette grotte intemporelle, vous décidez de l'explorer de fond en comble.

La découverte de quelques squelettes vous apprend le sort de quelques malheureux qui ont affronté la créature avant vous, mais qui n'ont pas eu votre chance. Vous auriez probablement connu un sort semblable si vous aviez eu à combattre la créature dans son univers d'origine.

Toutefois, puisque vous avez survécu, vous décidez de remercier votre bonne étoile et de vous mettre à la recherche de trouvailles utiles.

C'est malheureusement moins évident que prévu.

Au moment où vous vous apprêtez à quitter la caverne, bredouille, vous remarquez un passage ombrageux qui mène à une seconde grotte. Vous vous engagez prudemment dans le tunnel étroit, ce qui vous mène dans une caverne basse de plafond où sont empilées toutes les possessions de la créature. Pour être précis, il doit s'agir de l'équipement de ceux qu'elle a exterminés au cours de son existence meurtrière. Voici la liste des objets que vous trouvez :

- Une boule de bois noir [24] ;
- Un sachet rempli de petits cristaux multicolores [15] ;
- Un poignard mystérieux à la lame de lumière (+4H +4D) ;
- Une hache (+2H +6D) ;
- Douze émeraudes [12] ;
- Une petite sphère de verre creuse suspendue à une chaînette en argent
- Quatre diamants [4] ;

- Quatre pilules rouges [4] ;
- Une fiole remplie de liquide jaune.

Si vous souhaitez boire le liquide jaune, rendez-vous au **40**.

Sinon, rangez vos acquisitions et inscrivez-les sur votre Feuille d'Aventure. Si vous possédez déjà des pilules rouges, ajoutez-y celles que vous venez de trouver. Sinon, vous pouvez quand même emporter celles-ci, mais sans en connaître l'utilité. Si vous désirez l'apprendre un jour, mémorisez le numéro du paragraphe que vous serez en train de lire, puis rendez-vous au **99** pour avaler une pastille.

Quelle que soit votre décision concernant les pilules rouges, retournez ensuite sur la corniche pour filer le train à l'Homme qui Marche.

Vous l'ignorez encore, mais la filature nocturne touche à sa fin.

Rendez-vous au **82**.

112

L'attente n'est pas longue. Au bout de deux minutes, le globe mystérieux est devenu opaque et l'Homme qui Marche brille d'une luminescence accrue. Aussitôt, l'être spectral se remet en mouvement, abandonnant la sphère obscure dont il semble avoir absorbé toute l'énergie. Au-delà du globe et de son piédestal, le sentier monte à flanc de montagne : la vallée fait place aux sommets boisés qui entourent Valleyburg.

Dans le lointain, l'un de ces sommets brille de cette même luminescence lugubre qui enveloppe le promeneur d'une nuit.

Afin de ne pas courir le risque d'être distancé par l'Homme qui Marche, vous vous remettez immédiatement à sa poursuite. Ce faisant, vous abandonnez à regret les quatre maisons et leurs secrets. Peut-être auriez-vous pu en explorer juste une autre ? Qui sait ce que vous auriez pu y découvrir ?

Malheureusement, il est trop tard à présent. Vous devez vous remettre en route.

Bientôt, vous arrivez à la hauteur du piédestal sur lequel est posé le fameux globe. Si vous désirez vous arrêter un instant pour examiner cette sphère aux propriétés inconnues, rendez-vous au **50**. Si vous jugez cela inutile, voire dangereux, entamez sans plus tarder la prochaine étape de votre quête en vous rendant au **39**.

113

Votre dernier coup transperce la gorge de la créature infernale de part en part. Elle trébuche et s'écroule avec un ultime hurlement qui vous glace les sangs. Presque aussitôt, elle se désagrège et se transforme en poussière, tout en dégageant une âcre fumée noire. La bête est retournée au néant auquel elle appartient, et vous poussez un long soupir de soulagement.

Bientôt, la fumée malsaine se dissipe, ne laissant que des ossements noircis auxquels s'accrochent encore des lambeaux de chair carbonisée. Maintenant que vous avez vaincu la créature, vous pouvez continuer votre filature, mais la question est la suivante : dans quelle direction ? Car avant d'être attaqué par l'Être Hurlant, vous avez bien vu qu'il n'y avait aucune trace de l'Homme qui Marche dans les parages.

Il n'y a donc que deux possibilités : vous vous êtes trompé de direction ou l'Homme qui Marche a pris une avance plus grande que prévu. Peut-être, se sachant suivi, a-t-il trouvé le moyen de disparaître, mais si tel est le cas, vous ne le rattraperez jamais, quoi que vous fassiez. Par conséquent, vous préférez choisir parmi les alternatives qui vous offrent encore une chance.

Vous devez décider rapidement.

Si vous souhaitez continuer à courir le long de la route, rendez-vous au **100**. Si vous préférez revenir en vitesse au croisement et emprunter le sentier, rendez-vous au **28**.

114

Dans la pièce adjacente, le tueur inconnu possédait quelques objets qui vous seront sans doute utiles. En ouvrant un placard, vous découvrez un coffret accompagné d'une fiole contenant un liquide clair. Une étiquette sur la fiole vous renseigne promptement sur son contenu — mais curieusement, l'étiquette en question est recouverte de caractères indéchiffrables *que vous n'avez jamais vus de votre vie.*

Eau de Vydax
Équivalent nutritif : un repas

Si vous le souhaitez, vous pouvez conserver cette fiole [20]. Lorsque vous en boirez le contenu, vous pourrez ajouter 8 points à votre total d'Endurance.

Le petit coffre, une fois ouvert avec précaution, révèle deux émeraudes et un rouleau de parchemin. Ce dernier, comme la fiole, est recouvert de symboles inconnus — dont vous comprenez parfaitement le sens.

Ce parchemin décrit une créature, une bête à la peau noire surnommée « Être Hurlant » en raison de sa tendance à pousser des cris horribles de façon continue. Le texte vous révèle également le moyen de vous débarrasser d'une telle créature si vous avez le malheur d'en rencontrer une. Selon le parchemin, il existerait un type de cristal bleu, trouvé dans un lieu nommé Xhoromag, dont les rayonnements, pourtant inoffensifs pour la plupart des êtres vivants, auraient un effet tout à fait néfaste sur l'Être Hurlant.

Si vous rencontrez un jour un Être Hurlant (et entre nous, c'est fort possible), et si vous possédez, à ce moment, un objet taillé dans ce fameux cristal bleu, rendez-vous au **107** pour l'utiliser. Notez ces précieuses indications sur votre Feuille d'Aventure. Si vous possédez déjà un Bracelet ou un Cube de Cristal Bleu, vous pouvez inscrire ses propriétés en regard de son nom.

Vous pouvez également conserver les deux émeraudes [2] si vous le désirez.

Tout en fouillant la demeure une dernière fois, vous ne pouvez vous empê-cher de songer à votre situation. Chiens d'enfer, maisons aux dimensions variables qui n'existent que le temps d'une nuit, tueurs sadiques et inconnus, potions revitalisantes, parchemins révélateurs, créatures monstrueuses, phénomènes inexpliqués… Que se passe-t-il en cette nuit maudite ?

Malheureusement, la réponse à cette question n'est pas cachée dans cette maison. Vous décidez donc de ressortir sans perdre plus de temps.

Rendez-vous au **78**.

115

À toute vitesse, vous courez le long de la route de terre, priant pour avoir fait le bon choix. L'inquiétude vous envahit graduel-lement, surtout lorsque vous réalisez que l'Homme qui Marche ne peut guère avoir pris une telle avance. Alors que vous commencez à désespérer, une faible lueur attire votre attention. Simultanément, une autre lueur, d'espoir celle-là, naît en vous.

Faisant fi de votre fatigue, vous accélérez l'allure.

Une vague de soulagement vous envahit. C'est bien l'Homme qui Marche, le fantôme phosphorescent de la nuit maudite. Vous l'avez rattrapé !

Ainsi, le spectre de Valleyburg a continué à suivre la route. Par conséquent, le sentier qui se perdait dans la nuit n'était qu'un piège ou peut-être une illusion — un autre prodige inexplicable de cette nuit d'horreur.

À présent, vous marchez d'un pas plus calme, laissant la luminosité émise par le promeneur spectral vous guider à travers la nuit. Votre course effrénée vous a affaibli de 2 points d'Endurance, que vous devez soustraire de votre total actuel.

Vous résistez à grand-peine à l'envie de vous précipiter sur l'Homme qui Marche pour venger la mort de vos amis. En vérité, la curiosité vous ronge autant que le chagrin. C'est pourquoi vous continuez à suivre l'être de lumière sans poser le moindre geste.

Pour l'instant.

Tirez maintenant un nombre de la Carte du Destin. S'il est compris entre 1 et 9 inclusivement, rendez-vous au **55**. Sinon, rendez-vous au **86**.

116

Les sinistres tentacules, segmentés par les moulinets de votre arme, se retirent dans le puits obscur au centre de la pièce. Les extrémités que vous avez réussi à trancher sont tombées sur le plancher, où elles semblent s'évaporer graduellement — tout comme si elles étaient réellement dépourvues de substance physique. Avec un frisson de terreur, vous vous hâtez d'aller ouvrir la porte au fond de la pièce.

Puis vous demeurez immobile, secouant doucement la tête, comme pour échapper à un rêve particulièrement tenace.

La porte donne sur l'extérieur. Mais non au deuxième étage.

Entre deux haies de cèdres, denses et opaques, une allée herbeuse s'enfonce dans la nuit. La scène est nimbée d'une lugubre brume grise, dont il n'existait aucune trace lorsque vous étiez vous-même à l'extérieur, voilà quelques minutes à peine.

Pendant un long moment, vous contemplez l'allée impossible, scrutez la brume sinistre qui rampe dans l'herbe, observez les ténèbres silencieuses qui règnent au-dehors. Vous avez la distincte impression que ce paysage inquiétant n'appartient pas aux forêts qui entourent Valleyburg. Que se produira-t-il si vous choisissez d'y pénétrer ? Pourrez-vous ensuite rebrousser chemin ? Ces pensées ne sont guère rassurantes, mais votre péché mignon a toujours été la curiosité. Après tout, n'espérez-vous pas, en ce moment même, découvrir les secrets de l'Homme qui Marche et de la sinistre Nuit Temporelle ?

Si vous désirez franchir le seuil de la porte mystérieuse et vous aventurer dans l'allée brumeuse au-delà, rendez-vous au **83**. Si vous estimez plus sage de refermer la porte et de quitter cette maison sinistre, rendez-vous au **9**.

117

Un dernier coup de bâton en pleine tête a raison de l'horrible monstre de la nuit, qui s'écroule avec le crâne défoncé. Vous vous éloignez rapidement de la carcasse de la créature, et plus loin, vous prenez le temps de vous remettre de l'épreuve. Vos amis sont morts ; vous êtes seul pour lutter contre les maléfices de la nuit, contre les horreurs qui vous guettent et qui attendent leur meilleure occasion. Combien de bêtes survivent encore, tapies dans les ténèbres ? Combien sont-elles à garder les arrières de l'Homme qui Marche ?

Vous espérez ne jamais l'apprendre.

Prudemment, vous vous remettez en marche. Vous poursuivez votre filature, mais non sans inquiétude. Et tout à coup, vous réalisez que vous ne suivez plus personne !

L'homme lumineux vous a distancé.

Si vous voulez découvrir son secret et venger vos amis, vous devez absolument le rattraper. À toute allure, vous vous mettez à courir sur la route de terre.

Rendez-vous au **52**.

118

Vous continuez à suivre le couloir. Derrière vous, il n'y a plus que le vide du corridor infini. Là où les deux pierres précieuses flottaient dans l'air, mystérieusement suspendues hors du temps, il n'y a plus rien.

Vous savez qu'il est possible qu'elles se soient simplement volatilisées. Cela ne serait pas si étrange dans un univers de sorcellerie comme celui-ci. Toutefois, vous êtes convaincu que l'explication est beaucoup plus simple : les pierres ont disparu dans la distance.

Ce qui est plus grave, c'est que vous avez maintenant l'impression qu'une force étrangère tente de prendre possession de votre esprit. Vous vous mettez à courir, pris de panique, et la force cesse progressivement de se faire sentir.

Là-bas, devant vous, vous apercevez vaguement quelque chose. Encouragé, vous continuez à courir de toute la vitesse de vos jambes. Arrivez-vous enfin quelque part ?

Lorsque les objets vous apparaissent clairement, vous restez subitement figé sur place.

Deux pierres précieuses flottent dans l'air, à quelques mètres devant vous.

Une peur glacée s'infiltre en vous. Dans quel piège êtes-vous tombé ? Le pire n'est pas réellement ce couloir rectiligne et circulaire à la fois ; c'est plutôt le fait que l'Homme qui Marche, à l'extérieur, a eu tout le temps de disparaître pendant que vous arpentiez les corridors de cette demeure maléfique.

Cédant à l'angoisse qui vous étreint, vous décidez de quitter ce lieu surnaturel au plus vite. Précipitamment, vous ouvrez chacune des treize portes et traversez chacun des treize corridors en sens inverse, et lorsque vous passez la dernière porte, vous êtes considérablement soulagé de retrouver le ciel étoilé de la nuit.

Rendez-vous au **78**.

119

Quatre lampions rouges viennent de s'allumer. C'est donc à deux de ces créatures que vous allez devoir livrer combat. Les chiens de la Nuit Temporelle approchent, silencieux et terrifiants. Vous ne pourrez pas leur échapper. Puisse la chance vous sourire, car toute fuite vous est interdite, et ces créatures se battront jusqu'à leur dernier souffle pour vous empêcher de parvenir jusqu'à l'Homme qui Marche !

Troisième CHIEN DES TÉNÈBRES
Habileté 16 • Endurance 50 •
Dommages +1
Facteur d'Entraide +2

Quatrième CHIEN DES TÉNÈBRES
Habileté 18 • Endurance 52 •
Dommages +1
Facteur d'Entraide +3

Si vous sortez vivant de cette bataille désespérée, rendez-vous au **32**.

120

Sidéré, vous observez l'être lumineux en
silence. Vous ne parvenez toujours pas à
croire que l'Homme qui Marche vous a
parlé. Pis — *il vous a demandé de sauver son
monde !*

Des paroles tremblantes finissent par
quitter vos lèvres.

— Je dois… quoi ?

— Tu as bien entendu, confirme le
mystérieux Intemporel. Mon univers est
en danger, et j'ai besoin de ton aide.

Vous comprenez à ce moment que la
créature n'est pas un démon des enfers,
mais une entité venue d'un autre univers.
Sans doute l'arche lumineuse devant
laquelle elle se tient est-elle une fenêtre sur
cet univers, un passage par lequel
l'Homme qui Marche vient sur Terre et
rentre ensuite chez lui.

Un être d'un autre monde…

Brisant le flot chaotique de vos pensées,
l'Intemporel poursuit :

— Tu as le droit de comprendre ce qui
se passe. Mon univers, Xhoromag, est sur

le point de tomber sous le joug de créatures monstrueuses et anciennes, que nous nommons simplement les Forces du Mal. L'heure est grave, et j'ai absolument besoin de l'aide de quelqu'un comme toi.

Soudain pris de scepticisme, vous froncez les sourcils.

— Alors pourquoi venir *à tous les cinq ans* ?

L'Intemporel désigne l'arche de lumière éblouissante.

— La porte transuniverselle de Xhâri, qui me permet de venir ici, n'est franchissable qu'une fois par terizen, soit cinq de tes années. À chacun de ses cycles, j'apparais, à la recherche de celui qui pourra sauver l'univers de Xhoromag. Il se fait tard, et l'espoir s'estompe graduellement. Pourtant, il est encore possible pour toi de vaincre les Forces du Mal… si tu acceptes de le faire. Car il n'est pas question pour moi de te lancer de force dans cette mission désespérée.

De plus en plus dépassé, vous balbutiez une question toute bête.

— Mais… Qui sont-elles, ces Forces du Mal ?

— Elles viennent d'un autre monde, un univers différent de celui de Xhoromag. Depuis la nuit des temps, ces entités s'efforcent de conquérir mon univers, mais il a toujours été possible pour moi de les repousser. À présent, elles ont acquis de nouveaux pouvoirs, maîtrisé de nouvelles énergies. Elles nous menacent plus que jamais. Je ne peux plus les empêcher d'agir. Sans ton aide, je crains que Xhoromag ne soit définitivement perdu.

Vous demeurez immobile, stupéfait, sans oser croire aux paroles de l'Intemporel. Jamais n'auriez-vous imaginé, même dans vos rêves les plus fous, que votre filature vous amènerait à sauver un autre univers !

L'Homme qui Marche, pour sa part, continue à parler.

— Les Forces du Mal savent pourquoi je viens dans ce monde. Elles ont tout mis en œuvre pour qu'il soit impossible pour quiconque de me suivre. Elles ont notamment délégué plusieurs monstres de la nuit. Depuis quelques terizens, ces créatures me suivent ici, avec pour mission de tuer, de semer la terreur… et d'empêcher quiconque de me venir en aide. Elles savent qu'il m'est impossible d'aider un éventuel allié. Dans mon univers d'origine, j'existe en-dehors des normes du Temps, mais ici, sur cette planète, il n'en est rien. Les créatures des Forces du Mal ont peur de la lumière et ne peuvent m'attaquer directement, mais mon existence serait mise en péril si j'intervenais pour les détruire. Par ailleurs, il y a une autre raison, *beaucoup plus importante*, pour laquelle je ne suis pas intervenu dans tes combats contre les êtres du Mal.

L'Intemporel fait une pause et vous regarde droit dans les yeux. Vous soutenez son regard spectral sans frayeur — seriez-vous déjà convaincu ?

— Cette raison est simple. Si tu dois m'aider à sauver Xhoromag, il faudra que tu affrontes les Forces du Mal et beaucoup d'autres périls. C'est pourquoi je devais te laisser lutter seul. Ainsi, si tu parvenais jusqu'à moi, tu représentais vraiment *notre dernière chance*.

Ce que dit l'Intemporel obéit à une logique inattaquable, quoique plutôt froide, et vous êtes surpris d'y croire complètement. Sauver un univers ! Ce serait une aventure inouïe. En outre, comme vient de le dire l'Homme qui Marche, si vous avez vaincu les créatures de la nuit, vous êtes capable de le faire encore — sur Xhoromag cette fois.

Bien sûr, vous avez bénéficié d'une part de chance, mais vous n'avez aucune raison de croire que le sort vous reniera dans un avenir proche. Et l'offre est franchement alléchante : découvrir un autre monde, un univers totalement différent du vôtre !

Toutefois, il reste une question à laquelle vous voulez absolument connaître la réponse.

— Cette nuit, j'ai vu des phénomènes bizarres et incompréhensibles. Plusieurs m'ont effrayé. *Que se passe-t-il quand vous apparaissez ?* Qu'est-ce qui provoque l'apparition des quatre maisons, du ravin, de la falaise, des sentiers obscurs… et du reste ?

Contre toute attente, l'Intemporel fournit les explications convoitées.

— C'est un phénomène mal expliqué. En somme, quand je franchis la Porte, il se produit une intersection entre l'univers de Xhoromag et le tien. Pendant tout le temps que dure ma marche, Xhoromag *surexiste* par-dessus cette vallée. Cette interaction

entre deux mondes est à la base des phénomènes de la Nuit Temporelle.

— Et le globe ? Celui où vous vous êtes
arrêté, derrière les quatre maisons ?

— C'est la Sphère Élémentaire de
Xhoromag — la Sphère de l'Ultime Énergie.
Un globe qui contient la totalité des énergies
d'Interespace, l'univers intercalaire qui
sépare les réalités concrètes du Conti-
nuum. C'est grâce à cette sphère qu'il
m'est possible d'apparaître sur ta planète.
Sans les forces qui existent en Interespace,
un tel passage d'un univers à un autre
resterait impossible, même pour moi.

Tout à coup, l'Intemporel recule d'un
pas.

— À présent, tu dois choisir. La Porte
se refermera d'elle-même dans peu de
temps. Il faut que je l'aie franchie avant
que cela ne se produise. Si tu acceptes de
m'aider, je te donnerai tous les renseigne-
ments dont tu auras besoin pour mener ta
mission à bien. Sinon, tu es libre de demeurer
ici. D'une façon comme de l'autre, c'est
peut-être le dernier voyage de l'Homme
qui Marche. Dans cinq ans, il sera vraisemblablement trop tard pour sauver mon
univers.

Sur ces mots, l'Intemporel recule à pas lents vers l'arche de lumière. Sans hésiter, vous avancez vers lui. Après tout, il n'y a plus rien pour vous de ce côté de la Porte. Vos amis sont morts et votre vie à Valleyburg serait misérable, tandis qu'une aventure extraordinaire vous attend dans l'univers de Xhoromag.

Dès que vous pénétrez dans l'arche de feu, vous êtes englouti par la lumière prodigieuse qui emplit ce lieu hors de toute existence.

Soudain, dans la lumière infinie, une question vous vient à l'esprit.

— Si la situation est si critique, pourquoi attendiez-vous que quelqu'un vous suive jusqu'ici ? Je n'ai que quatorze ans ; vous auriez pu trouver au moins un homme à Valleyburg capable de vous aider beaucoup mieux que moi !

— C'est peut-être vrai, répond l'Intemporel. Mais vois-tu, Jamie, *je détiens le secret de l'univers*, et personne ne doit connaître mon existence.

À ce moment, vous êtes aspiré par le vide lumineux et vous perdez connaissance.

Quelque part de l'autre côté de la Porte s'étend un univers que vous devez sauver.

Un univers vers lequel vous vous dirigez à une vitesse qui n'a plus rien en commun avec celle de la lumière, puisque vous voyagez, non dans l'espace, mais entre les univers eux-mêmes.

Au-delà de la Porte, Xhoromag vous attend, et vous êtes sa dernière chance.

À SUIVRE DANS LE TOME 2
LES ÊTRES AUX YEUX BLEUS

Feuille d'Aventure

Habileté Naturelle	Meilleure Arme	Habileté de Combat	Endurance	Max :
Privilèges Zéro	Dommages	Protection		

Liste d'Équipement

Possessions	Propriétés	Transport

Possessions	Transport

Possessions	Transport
Volume Total	Bourse

La Carte du Destin

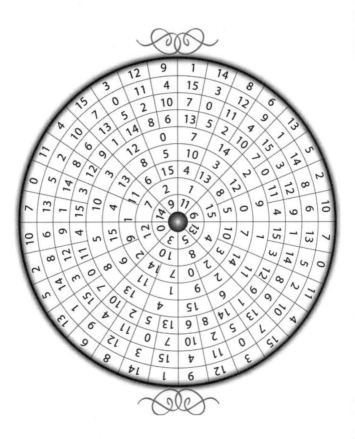

Table des Points de Dommage

← Ennemi Avantagé ←   → Héros Avantagé →

	12	11	10	9	8	7	6	5	4	3	2	1	0	1	2	3	4	5	6	7	8	9	10	11	12	+
0	—	1	2	3	4	5	6	7	8	9	10	11	12	13	14	15	16	17	18	20	22	24	26	28	30	40
1	—	—	1	2	3	4	5	6	7	8	9	10	11	12	13	14	15	16	17	18	20	22	24	26	28	38
2	—	—	—	1	2	3	4	5	6	7	8	9	10	11	12	13	14	15	16	17	18	20	22	24	26	36
3	—	—	—	—	1	2	3	4	5	6	7	8	9	10	11	12	13	14	15	16	17	18	20	22	24	34
4	—	—	—	—	—	1	2	3	4	5	6	7	8	9	10	11	12	13	14	15	16	17	18	20	22	32
5	—	—	—	—	—	—	1	2	3	4	5	6	7	8	9	10	11	12	13	14	15	16	17	18	20	30
6	—	—	—	—	—	—	—	1	2	3	4	5	6	7	8	9	10	11	12	13	14	15	16	17	18	28
7	—	—	—	—	—	—	—	—	1	2	3	4	5	6	7	8	9	10	11	12	13	14	15	16	17	26
8	—	—	—	—	—	—	—	—	—	1	2	3	4	5	6	7	8	9	10	11	12	13	14	15	16	24
9	—	—	—	—	—	—	—	—	—	—	1	2	3	4	5	6	7	8	9	10	11	12	13	14	15	22
10	—	—	—	—	—	—	—	—	—	—	—	1	2	3	4	5	6	7	8	9	10	11	12	13	14	20
11	—	—	—	—	—	—	—	—	—	—	—	—	1	2	3	4	5	6	7	8	9	10	11	12	13	18
12	—	—	—	—	—	—	—	—	—	—	—	—	—	1	2	3	4	5	6	7	8	9	10	11	12	16
13	—	—	—	—	—	—	—	—	—	—	—	—	—	—	1	2	3	4	5	6	7	8	9	10	11	14
14	—	—	—	—	—	—	—	—	—	—	—	—	—	—	—	1	2	3	4	5	6	7	8	9	10	12
15	—	—	—	—	—	—	—	—	—	—	—	—	—	—	—	—	1	2	3	4	5	6	7	8	9	10

Instructions :

Trouvez votre Avantage Offensif sur la rangée supérieure.

Trouvez le nombre désigné par la Carte du Destin à gauche ou à droite du tableau.

À l'intersection de cette rangée et de cette colonne figurent les points de Dommage infligés.

•

Case grise : Jamie blessé

Case blanche : Ennemi blessé

Vous allez bientôt découvrir le monde fantastique de Xhoromag. Dans ce livre où VOUS êtes le héros de l'histoire, vous seul prendrez les décisions qui vous mèneront à une conclusion victorieuse — ou à une fin aussi glorieuse que tragique !

L'univers de Xhoromag est menacé par des êtres issus de la nuit éternelle. On les appelle les Forces du Mal de Gamorox. Il n'existe qu'une puissance capable de les mettre en échec : celle des Sept Cristaux de la Lumière, qui contiennent une énergie prodigieuse née en même temps que l'univers. Le premier des Sept Cristaux est en possession de l'Intemporel d'Inter-espace. Le deuxième appartient aux Quadrax, un peuple mystérieux de Xhoromag. Or, si Jamie n'intervient pas, les Quadrax seront bientôt anéantis.

Pour exterminer les Quadrax et s'emparer du Cristal convoité, les Forces du Mal ont érigé la monstrueuse Spirale Flamboyante, oeuvre tourbillonnante de puissance et de terreur. Pour sauver tout un peuple, Jamie devra trouver le moyen de la pulvériser — ou l'espoir mourra en même temps que les derniers Quadrax.

Pour vivre cette aventure, vous n'aurez besoin que d'un crayon et d'une gomme, ainsi que des tables aléatoires fournies dans cet ouvrage.

À paraître prochainement

Série : Le secret de l'Univers

www.AdA-inc.com
info@AdA-inc.com